Apprendre
à s'aimer

Sharon Wegscheider-Cruse

Apprendre
à s'aimer
Développer
son estime de soi

SCIENCES ET *CULTURE*
Montréal, Canada

L'édition originale de cet ouvrage a été publiée sous le titre
Learning to Love Yourself
© 1987 Sharon Wegscheider-Cruse
Health Communications, Inc., Deerfield Beach (FL)
ISBN 0-932194-39-7

Conception et réalisation de la couverture: Alexandre Béliveau
Traduit de l'américain par Johanne Forget

Tous droits réservés pour l'édition française
© 2004, Éditions Sciences et Culture

Dépôt légal: 3e trimestre 2004
Bibliothèque nationale du Québec
Bibliothèque nationale du Canada

ISBN 978-2-89092-320-1

BÉLIVEAU
——★——
é d i t e u r

5090, de Bellechasse
Montréal (Québec) Canada H1T 2A2
Tél.: 514-253-0403   Téléc.: 514-253-2714

Internet: www.beliveauediteur.com
Courriel: admin@beliveauediteur.com

Nous reconnaissons l'aide financière du gouvernement du Canada par
l'entremise du Programme d'Aide au Développement de l'Industrie de
l'Édition pour nos activités d'édition.

IMPRIMÉ AU CANADA

Je dédie ce livre

à moi-même
et au courage qu'il m'a fallu pour
revendiquer ma liberté...

à mes enfants,
Patrick, Sandra et Deborah,
qui m'ont soutenue et aimée
pendant les périodes les plus difficiles
de ma vie...

à Joe Cruse
La motivation, l'amour et
l'encouragement qu'il me témoigne
augmentent et embellissent
chaque jour ma confiance en moi.

Un merci bien spécial

à Mark Worden (éditeur américain)
Mes pensées et mes idées ont été élargies grâce à votre créativité artistique. En plus d'être un plaisir, travailler avec vous a favorisé l'affirmation de ma valeur propre.

à Kathleen Johnson
Vos idées d'illustrations donnent de la vie au texte. Les images apportent de la clarté là où souvent les mots ne suffisent pas.

À l'équipe de Health Communications, Inc.
(pour la publication anglaise)
De temps en temps, une relation professionnelle est si importante que ceux qui la partagent en sont transformés. C'est ainsi que je considère ma relation avec votre entreprise. Merci d'apporter des mots d'espoir et d'assistance à un public désireux de grandir.

Table des matières

Note de Éditions Sciences et Culture

La recouvrance

Nous avons traduit par « recouvrance » le mot américain *recovery*. Il nous est apparu nécessaire de le définir pour ceux qui ne sont pas familiers avec les divers programmes Douze Étapes dans les groupes de soutien.

Dans les livres américains, on rencontre fréquemment l'expression « la recouvrance est un processus » (*recovery is a process*). Des ouvrages sur ce sujet nous ont permis de préciser tout le champ notionnel du mot « recouvrance ».

La recouvrance est un lent et graduel processus de prise de conscience, d'acceptation et de changement qui amène une personne à rétablir sa santé physique, à équilibrer sa vie émotionnelle, à réhabiliter son état mental et à reconnaître l'existence d'un pouvoir spirituel.

L'individu, en se joignant à un groupe de soutien, adopte progressivement les principes d'un Programme Douze Étapes pour restaurer sa dignité humaine et redevenir un être humain entier.

1
Le chemin vers
la valorisation de soi

QU'EST-CE QUE LA VALORISATION DE SOI ?

L'expression « valorisation de soi » ne figure pas dans le dictionnaire. Considérons donc séparément les termes qui la composent pour comprendre chacun d'eux.

Valorisation : Fait de conférer une valeur plus grande.

Soi : La personnalité, le moi de chacun, avoir sa propre identité.

Voici la définition de valorisation de soi que je propose :

> MON IDENTITÉ MÉRITE CE QU'IL Y A DE MIEUX,
> CAR ELLE A UNE GRANDE VALEUR.

Comment savoir si une personne a une haute estime d'elle-même, si elle se valorise ou si elle se sent bien dans sa peau ? Le comportement de cette personne est un bon indice. Il peut toutefois être trompeur, car il est possible d'agir « comme si » nous étions sûrs de nous, « comme si » nous avions de l'assurance et une haute estime de soi.

« L'habit ne fait pas le moine », dit le proverbe. De la même façon, nous ne pouvons pas toujours savoir ce qui se passe dans la tête d'une personne qui paraît parfaitement sûre d'elle-même, qui semble être un véritable modèle de haute estime de soi.

Essayons d'imaginer comment pourrait se décrire une personne qui a une bonne opinion d'elle-même :

> *Je considère que je suis une personne de valeur et importante, et je crois valoir n'importe quelle autre personne de mon âge, qui a les mêmes antécédents que moi. Je pense avoir mérité le respect et la considération de mes pairs et de mes collègues de travail. Il m'arrive d'exercer une influence favorable sur les autres, parce que j'essaie de respecter leurs sentiments et que je ne les méprise pas. J'ai une idée assez précise de ce qui est bien, et je suis capable de défendre mes opinions. Je crois également être plutôt souple, et être capable de respecter le point de vue des autres sans me sentir menacée ou attaquée. J'entreprends avec plaisir des tâches nouvelles et stimulantes, et je ne me fâche pas quand les choses ne fonctionnent pas tout de suite à la perfection. Je suis patiente.*

À quoi ressemblerait le monologue intérieur d'une personne qui a une piètre opinion d'elle-même? Il serait empreint de pessimisme, de découragement et de dévalorisation de soi :

> *Je ne crois pas être quelqu'un de très important, ni de très aimable. En fait, je ne vois aucune raison d'être aimé de qui que ce soit. Je n'ai pas vraiment de talent particulier et je n'en ai jamais eu.*
>
> *Les autres m'accordent peu d'attention, et, d'après ce que je sais sur moi et ce que je ressens envers moi, je ne les en blâme pas. Je ne suis pas très aventureux. Je n'aime pas les situations nouvelles ou inhabituelles, et je préfère rester en terrain sûr et connu. Je n'attends pas grand-chose de moi-même, ni maintenant ni dans l'avenir. Même quand je fais de mon mieux, il me semble que je n'arrive à rien. L'avenir m'apparaît absolu-*

ment sans espoir. Je n'ai pas l'impression d'avoir beaucoup de contrôle sur ce qui m'arrive. Les choses vont probablement empirer.

Plusieurs degrés d'estime de soi se situent entre ces deux extrêmes. Par exemple, nous avons tous ressenti, à un moment ou à un autre, des sentiments d'inadaptation, de colère, d'obsession et d'angoisse, de culpabilité, de solitude, de honte et de chagrin.

L'INADAPTATION

Assis à une table, j'écoute parler les autres qui semblent être à l'aise et décontractés, et je me sens très tendu. Pourquoi les autres semblent-ils toujours avoir tellement plus de facilité à s'adapter, à prendre part à la conversation et à faire partie du groupe?

LA COLÈRE

Aurai-je enfin un jour l'impression que c'est mon tour? Il me semble que mes relations me demandent beaucoup d'énergie. Il y a toujours quelqu'un qui fait face à une situation critique ou à un problème qui semble être plus important que le mien. J'en ai assez de m'inquiéter au sujet de tout le monde et de faire passer mes besoins en dernier.

L'OBSESSION ET L'ANGOISSE

La réussite et les réalisations nombreuses ne semblent pas me suffire. Quand donc me sentirai-je accompli, arrivé, satisfait? J'en ai assez de réaliser des choses, de travailler, de me sentir obsédé. Pourquoi suis-je incapable de m'arrêter?

LA CULPABILITÉ

Je sens que je devrais faire davantage et être plus compréhensif et serviable. Je me sens coupable chaque fois que je fais quelque chose pour moi. Qu'il s'agisse de temps, d'argent ou d'énergie, j'ai l'impression que je devrais donner plus et prendre moins.

LA SOLITUDE

Quand tout a été dit et que tout a été fait, j'ai toujours l'impression que peu de gens me connaissent vraiment. La plupart d'entre eux ne connaissent de moi que ce que j'ai bien voulu leur montrer. S'ils savaient vraiment ce que je ressens, ce que je veux et ce qui m'inquiète, ils ne m'aimeraient probablement pas ou ne me respecteraient pas.

LA HONTE

Des événements anciens continuent de me hanter. Au moment même où je sens que quelque chose de bien va m'arriver, de vieux souvenirs refont surface, accompagnés d'anciens sentiments, et je m'en veux encore. Pourrai-je un jour me libérer de mes vieux souvenirs et de ma honte passée?

LE CHAGRIN

J'ai connu tant de malheurs. Il me semble parfois qu'il est maintenant trop tard pour être vraiment heureux. Certaines choses ne peuvent changer, certaines relations ne seront jamais possibles. Comment surmonter mes anciens regrets et mes émotions passées?

Au moment où je sens que les choses vont s'améliorer,
je me laisse abattre par mes anciennes craintes,
blessures et insuffisances...

Parfois, peu importe l'image extérieure que les autres ont de moi, ce que je ressens en moi est de 4e classe. Quand mes émotions m'abattent, j'éprouve des sentiments de médiocrité, de faiblesse — autrement dit, des sentiments d'autodépréciation.

Signes d'autodépréciation

Bien que nous ne puissions infailliblement déduire qu'une personne, d'après son comportement, a un degré élevé de valorisation de soi, certains indices perceptibles d'autodépréciation ne laissent à peu près aucun doute.

1. Les troubles apparentés à l'alimentation (obésité, anorexie, *etc.*).

2. Les difficultés dans les relations (intimité, engagements, aventures).

3. Les problèmes physiques (affections chroniques, impuissance, incapacité d'atteindre l'orgasme).

4. Les abus de drogue, d'alcool.

5. Le travail acharné et l'activité frénétique.

6. Le tabagisme.

7. Les dépenses extravagantes (achats compulsifs, jeux d'argent).

8. La dépendance envers certaines « autres » personnes (famille, gourous).

Ces comportements, enracinés dans notre culture, jouent un rôle, d'une façon ou d'une autre, dans nos vies quotidiennes. Manger, travailler et dépenser sont de toute évidence des comportements susceptibles d'être utiles ou nuisibles. C'est le fait de trop manger, de trop travailler, de trop dépenser qui nous cause des problèmes.

Nous mangeons pour nous nourrir, mais notre alimentation devient nuisible quand nous nous suralimentons au point de restreindre la liberté de nos vies, quand nous nous gavons pour ensuite nous purger ou quand nous prenons des casse-croûte trop riches en gras.

Manger de façon compulsive, suivre des diètes, se purger, voilà autant de moyens par lesquels nous réagissons à ce que nous ressentons. Prenons le cas de Josée, par exemple. Quand elle a de la peine ou qu'elle est en colère, elle bouillonne à l'intérieur. Sa famille lui a cependant appris à être gentille, correcte et à toujours — *par tous les moyens* — maîtriser ses émotions. Les sentiments d'anxiété qu'elle éprouve l'amènent à se sentir obsédée, bousculée, confuse. En mangeant une tablette de chocolat ou un sac de croustilles, Josée *nourrit ses émotions* et, de ce fait, maîtrise son anxiété. En quelques minutes, ses sentiments sont maniables et elle est de nouveau capable de fonctionner. Josée répète ce comportement plusieurs fois par jour, ce qui lui vaut un surplus de quelque vingt kilos.

L'anxiété est tout simplement
un réservoir de sentiments indifférenciés
que nous avons accumulés avec le temps,
sans jamais les exprimer.

Nous travaillons pour gagner notre vie et, avec un peu de chance, pour atteindre un niveau de contentement de soi. Mais quand le travail devient le centre de notre vie, à tel point que nous négligeons nos proches et même notre santé, alors il devient autodestructeur.

Laurent ressent la même anxiété à l'égard de ses sentiments qui refont surface. Quand il était petit garçon, son père était pour lui un personnage extrêmement puissant. Pendant toute son enfance et toute son adolescence, Laurent faisait l'impossible pour attirer l'attention de son père. Il avait beau obtenir de bons résultats à l'école, pratiquer des sports, se montrer d'une sagesse exemplaire, il ne sentait jamais qu'on faisait attention à lui, qu'on l'approuvait; il ne se sentait jamais assez bon. Aujourd'hui, Laurent a complété des études supérieures. On le remarque et on le respecte. Bien des gens sont intimidés par ses connaissances et par son pouvoir, mais, malgré tout, Laurent se sent complexé et sans mérite. Son besoin d'en faire plus, encore plus, toujours plus, le pousse à rester actif et occupé de façon compulsive. Par conséquent, l'intimité qu'il cherchait à partager avec son père dans le passé est à présent absente de sa relation avec sa femme et ses propres enfants. Laurent les éloigne de lui par son acharnement au travail; ses complexes et sa solitude nourrissent son « obsession » — qui, à son tour, intensifie sa solitude et son éloignement des autres.

Nous dépensons de l'argent pour tenter d'obtenir ce que nous voulons et ce dont nous avons besoin, mais quand nos dépenses deviennent disproportionnées — quand nous faisons des razzias sur la marchandise dans les magasins ou que nous nous adonnons immodérément au jeu — nous pouvons les qualifier d'excessives.

Céline est responsable des finances dans un petit collège. Son travail la rend un peu nerveuse parce qu'elle est la seule dans toute l'administration à ne pas être titulaire d'une maîtrise. Elle administre très habilement les finances du collège, mais il en va tout autrement de ses finances personnelles. Ses comptes de cartes de crédit sont toujours à la limite. Chaque fois qu'elle se sent déprimée, elle fait des achats extravagants et dépense sans compter. Le plaisir qu'elle en retire n'est que temporaire, parce qu'elle s'endette toujours de plus en plus.

Céline projette une image de parfaite confiance en elle, image qui cache ses sentiments d'anxiété. « Je me sens tellement dépassée », confiait-elle à une amie. « Je sais que je dépense plus que je ne gagne, mais il me semble que c'est mon seul plaisir dans la vie. » Puis elle ajoute : « Sans compter que je n'avais jamais rien à moi quand j'étais enfant. Je me dois bien ça. Il faut que je me fasse plaisir. »

D'autres types de comportements, par exemple fumer la cigarette ou consommer certaines drogues, sont potentiellement nuisibles. Toutefois, nous pouvons faire des choix pour éviter les problèmes qui en découlent. Nos excès nous entraînent inévitablement dans un cercle vicieux : manger, boire, dépenser, s'occuper de façon frénétique, vivre des fantasmes sexuels sont autant d'activités susceptibles de nous soulager de sentiments douloureux. Ce soulagement est toutefois temporaire et les sentiments d'origine reviennent quand l'effet de la médication (drogue ou comportement) s'estompe.

Nous nous retrouvons alors pris dans l'engrenage, bouclant ainsi le cercle vicieux, car maintenant, en plus des douloureux sentiments d'origine, nous ressentons de nouveaux sentiments avivés de culpabilité, d'infériorité, de honte et de solitude.

Le remède ? Davantage d'alcool ou de drogues ; davantage de glaces ou de mousses au chocolat. Nous travaillons plus fort, nous achetons des dizaines de billets de loterie, nous faisons des achats extravagants !

Notre soulagement dure aussi longtemps que notre excitation nous stimule. Mais il n'est que temporaire. Des sentiments encore plus douloureux lui succèdent, et de nouveau nous nous enfonçons dans la spirale fatale de l'autodépréciation.

Voici comment Céline décrit son comportement: « Quand je commence à faire des achats, je me sens merveilleusement bien. Je me dis que je le mérite, que je vais me faire plaisir pour une fois! Puis, quand c'est fini, j'ai toutes ces choses et c'est bien, mais pas tant que ça. J'ai encore plus de dettes qu'auparavant. J'entre dans une espèce de transe doublée d'un sentiment d'échec. »

Comme notre comportement d'actualisation augmente notre souffrance émotive intérieure, nous avons de plus en plus besoin de ce comportement pour ressentir un quelconque soulagement émotif. Notre souffrance augmente, et notre comportement s'en ressent. Nous continuons de nous faire du mal, tout en nous demandant chaque fois pourquoi nous nous traitons de cette façon et en désirant changer.

C'est alors que nous atteignons le stade où:
— nous sommes intoxiqués par
    l'alcool,
    la drogue,
    la cigarette;
— nous sommes dépendants
    de la nourriture,
    du travail ou du pouvoir,
    de certains biens,
    de certaines personnes.

L'objet de notre soulagement éphémère devient pour nous une sorte de poison ou de toxine. Dans ces situations, l'alcool, la drogue, la cigarette, aussi bien que la nourriture, deviennent des substances toxiques nécessaires à notre bien-être émotif.

Nous cultivons de la même façon des relations toxiques. Dans la mesure où nous devenons dépendants de certains emplois, de certaines personnes et de membres de notre famille, nos relations avec eux peuvent devenir pour nous *émotivement toxiques*. Tout ce qui nous empêche de ressentir des émotions spontanées, libres et authentiques devient pour nous une toxine émotive.

Toxines émotives

Toute substance ou toute personne qui inhibe notre faculté de ressentir des émotions spontanées devient pour nous une toxine émotive et crée un climat de toxicité qui contribue à nos sentiments d'autodépréciation et les maintient.

Les premiers pas vers une plus grande valorisation de soi

La première étape, la plus importante dans notre quête de valorisation personnelle, consiste à nous débarrasser des substances et des relations toxiques qui nous accablent. Cette élimination passe par un inventaire honnête et courageux des circonstances de notre vie.

L'inventaire consiste à faire un bilan honnête — nous insistons sur le mot *honnête* — de nos forces et de nos faiblesses. Il s'agit de nous accorder du mérite quand nous en méritons et de regarder froidement les choses qu'il nous est difficile de nous admettre à nous-mêmes.

Il est important de reconnaître que nous avons des bons et des mauvais côtés, et que nous changeons constamment. Nos points forts peuvent nous donner l'énergie et le courage d'admettre nos faiblesses, et d'y faire face. C'est en cela que réside notre aptitude à faire pour nous-mêmes les bons choix afin de provoquer les changements positifs qui s'imposent. Notre valorisation personnelle augmente à mesure que nous réalisons ces changements positifs.

Il est très difficile, parfois même impossible, d'atteindre un degré de saine estime de soi tout en continuant de polluer notre organisme au moyen de substances, ou d'entretenir des relations qui sapent notre énergie. Les substances toxiques et les relations toxiques contribuent au stress psychologique et physiologique qui, à son tour, intensifie d'autres problèmes dans notre vie, nous rendant ainsi incapables de prendre des décisions propres à favoriser notre valorisation personnelle.

Il est difficile de faire pousser quelque chose de beau et de sain dans une poubelle. Il faut d'abord éliminer les ordures avant que le processus de croissance ne commence.

Plus nous nous accorderons de valeur, plus nous réussirons à nous convaincre que nous méritons de lutter pour vivre et être heureux. La valorisation de soi peut donc être considérée comme un besoin personnel fondamental, et une condition nécessaire à la santé mentale et au bien-être.

Avant de nous engager dans la voie de l'édification ou de l'augmentation de notre valorisation personnelle, il est important de prendre conscience de ce qui l'entrave actuellement. Plus souvent qu'autrement, c'est l'impatience (le désir d'obtenir quelque chose) ou la souffrance (le désir de se débarrasser de quelque chose) qui nous pousse sur le chemin de la croissance.

La première règle de la valorisation de soi

Avant d'aller de l'avant et d'augmenter notre valeur personnelle, il est nécessaire de prendre pleinement conscience de notre réalité actuelle et des chaînes de notre passé qui nous ont empêchés de progresser.
On ne peut mettre son énergie à la fois vers l'avant et vers l'arrière.

La valorisation de soi implique que nous fassions trois démarches majeures

1. Éliminer le comportement ou les substances toxiques.

2. Examiner son passé et faire de nouveaux choix concernant les messages et les sentiments du passé.

3. Adopter de nouvelles attitudes et de nouveaux sentiments qui favorisent l'éclosion de nouveaux bourgeons de valorisation de soi.

La valorisation de soi est un choix, non un droit acquis à la naissance.

VERS LA MEZZANINE

• Mezzanine — valorisation de soi
• Rez-de-chaussée — choix
• Sous-sol — dépendances

Est-ce une hérésie? Certains peuvent dire que le fait d'affirmer que la valorisation de soi n'est pas innée révèle une attitude négative de ma part. Selon moi, cela n'a rien de négatif. Il s'agit simplement d'une opinion basée sur mes expériences aussi bien avec des clients qu'avec des amis. Bien des gens sont nés de parents et de familles à qui le sens de la valorisation de soi n'a pas été transmis en doses suffisantes. Ce manque se transmet de génération en génération.

Dès le plus bas âge, l'enfant perçoit le monde en relation avec lui-même. Le monde renvoie à l'enfant une image qui l'aide à se définir lui-même. Si son entourage (les parents, la famille, les amis, les professeurs) lui présente une image de sa valeur, l'enfant ressentira de l'estime pour lui-même et adoptera un comportement propre à augmenter sa valeur.

Beaucoup trop d'enfants sont nés dans des familles où les parents étaient très mal préparés à leur donner tous les soins et l'attention nécessaires à un sain développement. Certains parents étaient trop occupés à établir leur propre valeur et à se faire une place dans le monde. D'autres étaient eux-mêmes des enfants.

Ces parents-enfants veulent avoir des enfants, parce que, croient-ils, ces derniers vont les aimer sans condition. Gloria, devenue mère à l'âge de seize ans, l'a cru — jusqu'à un certain point. Quand sa fille Julie a eu deux ans, Gloria s'est sentie bouleversée parce que son enfant devenait de plus en plus indépendante et ne semblait plus avoir besoin d'elle autant qu'avant. Gloria a alors décidé d'avoir un deuxième enfant. « Julie n'a plus besoin de moi comme avant », se plaignait-elle. « Elle ne me fait plus sentir aimée. »

Certains de nos parents ont vécu la crise de 1929 et la Deuxième Guerre mondiale. Ils ont connu l'insécurité liée à la pauvreté, l'absence de foyer, l'imminence de la mort. Les valeurs acquises durant ces années détonnaient dans la période de prospérité générale qui suivit la guerre.

Chaque génération s'est donc affairée à vivre selon les besoins, les désirs et les principes de la génération précédente. Plutôt que de réaliser pleinement le cadeau unique qu'ils représentent, les enfants font de leur mieux pour s'adapter à une famille déjà établie. La tendance consiste à obtenir l'approbation des adultes déjà établis, plutôt que d'explorer les cadeaux et les surprises que recèle chaque enfant.

Bien des enfants, surtout ceux dont les parents ne sont pas sûrs de leur propre valeur, sont poussés à vieillir trop vite afin de répondre au besoin familial. C'est ce qu'on appelle le « syndrome de l'enfant stressé ». Dans une culture qui accorde une valeur accrue aux voitures rapides, aux *fast-foods,* à la satisfaction immédiate et à la vitesse informatique mesurée en nanosecondes, il existe une tendance à entraîner les enfants dans cette course effrénée.

Les parents, impatients de faire revêtir à leurs enfants l'uniforme d'une ligue de hockey ou d'une autre équipe sportive, adoptent une attitude de concurrence envers la croissance et le développement. « Ton enfant a fait ses premiers pas à 11 mois ? Mon Dieu, le mien a commencé à marcher à 9 mois et il faisait du jogging sur 500 mètres à 12 mois. Lancer un ballon de football ? Vous devriez lui voir les bras, à ce petit ! »

Au lieu de profiter des joies de l'enfance, les enfants bousculés sont aux prises avec de lourdes responsabilités. L'enfance, qui devrait être une période consacrée au jeu, aux choix, à toutes sortes de possibilités et au plaisir, se passe plutôt à respecter des horaires, à apprendre des règles, à prendre des responsabilités et à comprendre ce qu'il faut faire pour s'adapter et bien faire les choses.

Vos parents vous aimaient quand vous aviez de bons résultats. Dans le cas contraire, eh bien... vous étiez un raté. Les menaces de rejet et d'abandon comme conséquence de l'échec étaient toujours tacitement ou explicitement présentes.

L'enfance est devenue source de souffrances plutôt que de joies, de responsabilité plutôt que d'insouciance, et nous nous sommes mis à dévaluer nos propres besoins, nos souhaits et nos désirs au lieu de leur accorder une valeur prioritaire. La valorisation de soi est restée fixée à un niveau infantile.

Prise au piège comme une fourmi fossile dans de l'ambre, l'estime de soi n'a eu aucune chance de se développer. Les sentiments reliés à ce phénomène ont été enterrés.

LA VALIDATION DU SOI
DURANT L'ENFANCE

Les messages donnés aux enfants pour confirmer ou valider leur existence, leurs choix, leurs talents, leurs idées, leurs plans, ont tendance à jouer un rôle considérable dans la détermination du degré d'estime de soi. Si toutes ces dimensions de leur personnalité ne sont pas validées, les enfants se sentent moins importants que ceux qui les entourent, moins valorisés.

Imaginez, par exemple, qu'on vous ait donné un grand panier à votre naissance. Pendant vos plus jeunes années, vous recueillez des connaissances qui vous donnent de l'énergie, de l'espoir, des aptitudes, des désirs et une bonne opinion de vous-même. Nous appelons ces messages les « fleurs ». Vous recevez également des messages qui vous font vous sentir incapable, petit, coupable ou effrayé. Nous appelons ces messages les « messages déchets ».

Les messages déchets

Les messages qui nous font nous sentir mal, qui nous font croire que nous ne sommes pas aimés.

- Ne dis rien si tu n'as rien de gentil à dire (il faut cacher ses sentiments véritables).

- Les affaires de famille se règlent en famille (il faut se méfier des autres).

- Le travail d'abord, le jeu ensuite (ce que tu fais est plus important que ce que tu es).

- Les garçons ne pleurent pas (les hommes doivent toujours être forts).

- Les femmes ne doivent pas se mettre en colère (les femmes doivent cacher leurs sentiments de colère).

- Ne parle pas sauf si on t'adresse la parole (c'est mal d'être spontané).

- Ne parle pas de sexe (le corps comporte quelque chose de malsain).

- Comme on fait son lit, on se couche (les erreurs sont inacceptables).

- Ce qui vaut la peine d'être fait vaut la peine d'être bien fait (il faut viser la perfection en tout).

- L'argent ne pousse pas sur les arbres (tu ne connais pas la valeur de l'argent).

- Tu peux faire mieux (ce que tu fais n'est jamais suffisamment bien).

- Je te l'avais bien dit... (tu aurais dû m'écouter et suivre mes conseils; j'ai raison et tu as tort).

- Il faut laver son linge sale en famille (ne dis rien et ne demande pas d'aide).

- Les liens de sang sont les plus forts (la loyauté envers la famille passe avant tout, qu'elle soit méritée ou non).

Pensez à quelques règles et messages qui vous ont été transmis par votre famille. Combien vous ont aidé à augmenter votre estime personnelle? Combien d'entre eux ont eu l'effet contraire? Considérons quelques exemples de messages positifs (les fleurs) qui favorisent les sentiments d'estime de soi :

1. Je suis très fier de toi aujourd'hui.

2. Tu as vraiment eu une excellente idée.

3. Tu fais du bon travail. Continue!

4. Tu es une personne très spéciale.

5. Très bien!

6. Tu sembles avoir beaucoup de bonnes idées.

7. Ton erreur va peut-être te permettre de tirer des leçons utiles.

8. C'est agréable de travailler (ou de jouer) avec toi.

9. Je t'aime comme tu es.

10. Il n'y a aucun mal à ressentir des émotions.

11. Parfois, ça fait du bien de pleurer.

12. Je suis désolé. Tu as raison.

13. Je suis heureux quand je suis avec toi.

L'objet du présent livre est de nous permettre d'évaluer honnêtement le contenu de notre panier et de choisir ce dont nous voulons nous débarrasser. La deuxième moitié du livre nous apprendra comment remplir notre panier avec l'énergie positive du choix et de l'affirmation qui augmenteront notre valorisation personnelle.

Le terme « aliénation du moi » est souvent utilisé de nos jours. Ce terme signifie simplement que chacun vit jour après jour en réaction au monde extérieur. Ce monde extérieur comprend le conjoint, la famille, le travail, les amis, la télévision et les événements mondiaux.

L'aliénation du moi nous fait nous sentir étrangers au monde, pas à notre place, mal à l'aise et angoissé. Le moi ainsi aliéné nous fait vivre dans une sorte d'engourdissement émotif.

Pourtant, nous gardons en même temps le contact avec notre « moi intérieur ». Dans ce dernier, nous y classons des informations, des événements et des sentiments qui sont uniques et distincts à chacun de nous.

Dans un certain sens, le moi intérieur est un peu comme un ordinateur privé qui conserve en mémoire l'information qui nous convient pour que nous puissions en disposer au moment opportun.

C'est un système qui comporte des possibilités si merveilleuses que nous nous demandons comment une personne peut en arriver à perdre tout contact avec sa propre expérience émotionnelle, à être incapable de faire appel à ses émotions et à ses sentiments pour en tirer des conseils et des indications. Comment le moi aliéné peut-il engourdir les émotions au point de devenir un automate?

D'abord, très souvent, les parents apprennent aux enfants à réprimer ou à ravaler leurs sentiments. Voici quelques exemples:

• Un petit garçon tombe et se blesse; son père le réprimande sévèrement: « Les garçons ne pleurent pas. »

• Une fillette se met en colère contre un autre enfant qui a brisé un de ses jouets; sa mère lui dit vivement: « Ne te mets pas en colère, ce n'est pas bien. »

• Un enfant est tout excité parce qu'un défilé passe dans la rue; ses parents l'avertissent: « Ne t'énerve pas comme ça; tiens-toi tranquille. »

Les parents stoïques, qui refoulent leurs émotions par les règles qu'ils imposent et par l'exemple qu'ils donnent, ont tendance à engendrer des enfants stoïques qui, à leur tour, refoulent leurs propres émotions. La spontanéité et la liberté émotive de l'enfant cèdent la place à ce qui est « convenable », « approprié », socialement acceptable, et sa personnalité fait un autre pas en arrière : un pas de géant...

Dans ce type d'environnement, l'enfant commence à avoir peur de ses sentiments et de ses émotions, et essaie de trouver des moyens de les maîtriser. Ce qui est véritablement ressenti cède la place à ce qu'il est convenable de ressentir, entraînant alors une distorsion de la « réalité ». Plutôt que d'épanouir ce que nous ressentons vraiment, nous éprouvons ce qu'il convient de ressentir.

La dénégation comme mode de vie

La possibilité de nier ses vrais sentiments et sa propre vérité se retrouve fréquemment chez les enfants issus de foyers à problèmes.

En ignorant notre expérience intérieure (ce que nous ressentons vraiment), nous renions une partie de notre vérité. Notre réalité se déforme alors et nous ne pouvons évaluer clairement les situations auxquelles nous sommes confrontés.

En déformant la réalité, nous avons tendance à nous exprimer de façon à minimiser la gravité d'une situation ou les possibilités qu'elle présente.

Nous sommes portés à voir les choses comme nous choisissons de les voir ou comme il nous convient de les voir, et non telles qu'elles sont vraiment.

Voici quelques énoncés révélateurs d'une réalité déformée:

« Ça ne va pas si mal que ça... »
« Les choses sont mieux qu'elles étaient... »
« Je veux bien me contenter de... »
« Je ne peux pas... »
« C'est la faute de quelqu'un d'autre... »
« Si seulement tu voulais... »
« C'est de sa faute si je me sens comme ça... »
« C'est sans espoir... »
« Aide-moi, je n'y arrive pas... »
« C'est à cause de toi que je suis comme ça... »
« Tout irait bien si seulement tu... »

Prenez bien note de ce qui suit:

Pour augmenter notre valorisation personnelle,
il faut laisser tomber la fantaisie de nos souvenirs
et cesser de voir notre passé selon ce qui nous arrange,
comme entièrement bien ou entièrement mal.

Si nous n'avons que de bons souvenirs, nous entretiendrons le « mythe de l'enfance dorée » et nous continuerons à isoler notre personnalité véritable. Le mythe de l'enfance malheureuse nous enfermera dans un cadre de honte et nous empêchera de recourir à notre moi intérieur et à notre expérience pour nous aider à grandir.

La valorisation de soi est un choix,
non un droit acquis à la naissance.

La première tâche importante que nous allons entreprendre dans ce présent ouvrage sera de faire certains choix difficiles, et l'un des plus difficiles sera de chercher la vérité dans notre enfance et de découvrir notre propre sens de la réalité. Certains diront: « Pourquoi regarder en arrière? Pourquoi déterrer des situations et des senti-ments anciens et oubliés depuis longtemps? Pourquoi rou-vrir les blessures? »

La principale raison pour laquelle il faut regarder en arrière et examiner nos jeunes années est que, même si les situations et les sentiments sont anciens, *ils ne sont pas oubliés* pour autant. Ils survivent dans nos attitudes, nos pensées, nos émotions, et influencent nos relations et nos choix de tous les jours. Une de mes plus profondes convictions s'exprime de la façon suivante: « guérir ou répéter ». Ce qui n'est pas résolu relativement à notre enfance et à nos relations familiales passées devra l'être dans nos relations actuelles (avec notre conjoint, nos amis et nos enfants).

Il y a effectivement des vertus thérapeutiques dans le fait de choisir et il y en a également dans la réalité — même dans la réalité douloureuse. Mais nous devons avant tout retourner dans le passé et distinguer le mythe de la réalité.

LEÇON
D'HISTOIRE
1

2
Les parents et
la valorisation de soi

Il importe, dès le départ, de préciser que l'objectif de ce
chapitre n'est pas de jeter le blâme sur les parents de
toute personne qui a une piètre estime d'elle-même.

Bien souvent, les parents eux-mêmes n'ont pas reçu de
doses suffisantes de valorisation de soi. Leurs propres
parents ont peut-être souffert de pauvreté, de persécu-
tion, d'oppressions, de préjugés — et même d'abandon. Ils
peuvent avoir reçu très peu d'instruction et être tout juste
capables de lire et d'écrire. Peut-être souffraient-ils de
maladies chroniques, ou d'un handicap physique? Quoi
qu'il en soit, nous pouvons présumer que, lorsqu'à leur
tour ils sont devenus parents, ils ont fait l'impossible pour
élever leurs enfants du mieux qu'ils le pouvaient.

Même si le « mieux » produisait parfois des résultats
contraires au but recherché, la plupart des parents
aimaient leurs enfants. Mais ils ne disposaient malheureusement pas toujours des outils nécessaires pour procurer à leurs enfants un milieu susceptible de favoriser le
développement de leur valorisation personnelle.

L'enfance comporte toujours des moments de rage et de tension. Chaque enfant éprouve divers degrés de souffrances, de malheurs et de déceptions. Néanmoins, nous finissons tous par devenir des adultes. Nous avons tous notre part de souvenirs douloureux. Nous avons éprouvé des pertes — de véritables pertes — par exemple d'amis, de membres de la famille ou d'animaux favoris. L'école avait du bon et du mauvais; elle nous donnait l'occasion de nous développer, mais comportait inévitablement des échecs. Après tout, il n'y avait que cinq places dans l'équipe des meneuses et onze joueurs dans l'équipe de football.

Pendant deux ans, Suzanne, une jeune adolescente, a passé le plus clair de son temps à s'exercer aux cris d'encouragement des meneuses, au grand désespoir de ses parents. Elle fut complètement anéantie, et ce, pendant deux années consécutives, lorsque par un vote elle n'avait pu faire partie de l'équipe. Aujourd'hui âgée de 35 ans, Suzanne se souvient: « Ce fut la plus grande humiliation de ma vie. J'en ai encore la nausée quand je pense à cet échec. Mes meilleures amies étaient meneuses, mais je n'étais tout simplement pas assez populaire. »

Dans les foyers où nous avons grandi, il régnait des attitudes et des croyances qui nous faisaient du mal. Certains événements peuvent avoir provoqué en nous des sentiments d'isolement, d'infériorité, de rejet.

Nicolas, par exemple, se souvient de s'être senti abandonné. Il était âgé de cinq ans quand son père a quitté sa mère. Lorsque sa mère s'est remariée, le beau-père a insisté pour que Nicolas aille à l'école militaire. Pendant les sept années qui suivirent, Nicolas ne vit sa mère qu'une fois par année. Sa famille était devenue l'école — des étrangers qui étaient payés pour l'héberger.

Et Jean, aujourd'hui âgé de 83 ans, se rappelle pour sa part l'échec le plus cuisant de sa vie: « J'adorais l'école. Après ma huitième année, j'ai voulu poursuivre mes études. Personne ne l'avait jamais fait dans ma famille. Un problème cependant se posait: je devais demeurer en ville.» Jean était né sur une ferme et y avait passé toute son enfance. «Mes parents m'avaient trouvé une chambre, et j'avais pris un emploi dans un magasin pour subvenir à mes besoins. Mais j'étais un enfant de la campagne, et les enfants de la ville se moquaient de mes vêtements tout usés. Quelques jours plus tard, j'ai quitté la ville par le premier train.» Après toutes ces années, Jean ressentait toujours aussi vivement l'humiliation et l'échec qu'il avait alors éprouvés.

Rares sont ceux d'entre nous qui arrivent à l'âge adulte sans aucune forme de cicatrice psychique. Cependant, une fois que nous avons atteint la maturité, nous pouvons commencer à voir les choses comme elles sont vraiment. Nos parents n'étaient pas les personnes toutes-puissantes, omniscientes, fortes et influentes que nous imaginions lorsque nous étions enfants. Ils étaient des êtres humains ordinaires, avec des capacités humaines et des faiblesses humaines. Ils avaient leurs problèmes — des problèmes qui n'étaient probablement pas tellement différents des nôtres. Si nos parents ne nous ont peut-être pas donné tout ce dont nous avions besoin, ils ont probablement fait de leur mieux avec les connaissances, l'intelligence et les ressources financières dont ils disposaient.

En d'autres termes, nos parents n'incarnaient pas la méchanceté absolue et implacable. Ils ne jouaient pas les rôles de méchants dans le mélodrame de notre passé.

LES PROBLÈMES NON RÉSOLUS ET L'ENFANT-ADULTE

Notre objectif est maintenant d'examiner ce que nous avons obtenu ou pas, et de bien identifier nos «problèmes non résolus». Nous pourrons ainsi aujourd'hui, en tant qu'adultes, régler ces problèmes, satisfaire nos besoins, augmenter notre estime personnelle et poursuivre notre vie.

Le *peu d'estime de soi* est une des caractéristiques chez la personne issue d'une famille aux exigences rigides et démesurément élevées, aux règles strictes, et où les émotions n'étaient pas valorisées. Les individus qui proviennent de telles familles ont arrêté leur développement émotif à un très jeune âge, comme si leur vie affective demeurait immature — juvénile ou même infantile — tandis que les autres aspects de leur personne se développent, mûrissent.

Nous appelons parfois cet état « arriération émotive ». Les adultes ainsi caractérisés sont développés physiquement et intellectuellement, parfois de façon excessive. Sur le plan affectif, toutefois, ils n'en demeurent pas moins des enfants, quel que soit leur âge. Ils sont souvent définis comme « enfants-adultes ».

Vus de l'extérieur, ils semblent être des adultes accomplis. Ils ont des responsabilités d'adultes. Ils mènent des vies d'adultes. Et pourtant, intérieurement, ils sont aussi vulnérables que des enfants. Ils projettent une image de réussite et de compétence alors qu'intérieurement ils souffrent dans leur âme et dans leur cœur.

Mon expérience auprès de gens qui ont une faible estime de soi confirme qu'ils sont toujours « en train de se préparer à être prêts pour quand... » Habituellement, je leur dis: « La répétition est finie et le spectacle est commencé. La vie, c'est ici et maintenant. » C'est là un concept important, parce que les gens qui manquent d'estime de soi pensent généralement au moment où ils deviendront la personne qu'ils doivent devenir. Ils croient que c'est à ce moment-là seulement qu'ils se sentiront mieux et plus heureux. Ils semblent attendre que survienne un événement ou une personne qui produira sur eux un tel impact qu'ils pourront alors être heureux.

Il est important de prendre conscience qu'il n'y a rien d'autre que ce qui est. Il n'y a aucun but à atteindre, il y a seulement quelque chose à être.

Le bonheur n'est pas quelque chose qu'il faut s'efforcer d'obtenir, comme un diplôme universitaire. Ce n'est pas non plus quelque chose qui se présente dans un bel emballage étiqueté « bonheur », ou qui survient automatiquement au moment où vous rencontrez l'homme ou la femme de votre vie.

Le bonheur implique de faire face à la réalité, de l'accepter *telle qu'elle est* et de suivre ce courant. Cela signifie qu'il faut accepter certaines circonstances matérielles et parfois financières, qui surviennent dans notre vie et dans la vie des autres.

Le bonheur se présente sous bien des formes différentes. Il peut être parfois très intense, parfois à peine perceptible. *Rétrospectivement, nous sommes souvent plus heureux lorsque nous sommes moins préoccupés par la question du bonheur.*

Être heureux et satisfait n'implique pas
de faire ou d'accomplir quelque chose.
Il faut être, non pas faire...

Les enfants-adultes vivent dans l'attente. Enfants, ils croyaient que, lorsqu'ils quitteraient leur famille, ils deviendraient indépendants, libres de la lourde et oppressante supervision de parents désespérément vieux jeu; que leur émancipation leur permettrait d'être maîtres de leur temps; qu'ils rencontreraient des tas de gens intéressants à fréquenter.

Pour eux, une chose était certaine: ils trouveraient le royaume magique et le bonheur. Ils ne seraient certainement pas comme leurs parents. En aucune façon.

Ils s'attendaient surtout à ne connaître que très peu de malheurs et de sentiments désagréables. Selon moi, je crois que cette attitude découle du fait qu'ils blâmaient leurs parents et les autres pour les souffrances et les malheurs de leur propre vie. Une fois qu'une personne « vole de ses propres ailes », ces influences malsaines ne peuvent plus s'exercer. Il est donc normal de s'attendre à ce que la vie soit plus agréable, moins stressante, plus heureuse. Le bonheur consiste peut-être en partie à être capable de supporter les souffrances de la vie, les désillusions et le malheur, à les vivre puis à passer à autre chose, au lieu de s'apitoyer indéfiniment sur son pauvre sort.

Ces pensées, ces sentiments et ces idées d'apitoiement se sont formés pendant l'enfance. Plutôt que d'écouter notre voix intérieure et lui faire confiance, plusieurs d'entre nous se sont laissés prendre aux attentes de la famille, de l'école, des amis et des médias. La télévision est une source importante, parfois subtile, de création de nos attentes — telle eau de Cologne assure le bonheur; tels bas de nylon, la féminité; *etc.* Il est bien connu que la publicité est souvent conçue pour tirer profit de notre faible estime de soi — comme l'a démontré Vance Packard, voilà quelques années déjà, dans son ouvrage intitulé *The Hidden Persuaders.*

Faire connaissance avec l'enfant en soi

En chacun de nous vit un guide, secrétaire et professeur très particulier; c'est « l'enfant intérieur ». Parfois, une personne connaît bien son moi intérieur (le siège de l'estime de soi); parfois il demeure inconnu. En ce sens, nous pouvons être des étrangers pour nous-mêmes.

Une meilleure connaissance de notre enfant intérieur et de son fonctionnement nous permettrait de mieux comprendre et d'éliminer une grande part de notre détresse, lassitude, souffrance et solitude. Cette compréhension pourrait nous aider à mieux vivre nos relations avec les autres, ainsi qu'à trouver notre propre valeur en tant que personne.

Nous avons tous été un enfant. Ce fut une période très importante de notre vie et, aujourd'hui, nous en ressentons encore l'impact. Plus souvent qu'autrement, dans notre mode de vie adulte, nous tentons d'ignorer notre vécu en tant qu'enfant, nous ne réalisons pas l'importance de cet apprentissage, et nous négligeons les leçons dont nous pourrions tirer profit. Les leçons apprises dans notre enfance affectent notre façon de penser, de ressentir et d'agir aujourd'hui. Certaines de ces leçons mettent en valeur ou entravent la façon dont nous avons appris à interagir, à aimer et à être aimés. De tels sentiments peuvent même constituer une part importante de notre fatigue, de notre incapacité à nous détendre, de nos maux de tête, de notre angoisse chronique et de notre dépression.

Pensez à l'enfant que vous étiez... Que s'est-il passé?

1. Le petit enfant en nous est-il mort?
2. Est-il devenu trop grand et a-t-il été mis de côté comme un vieux jouet ou un vêtement usé?
3. L'avez-vous abandonné?
4. L'enfant en vous a-t-il perdu sa raison d'être, sa voie, sa signification?
5. L'enfant que vous étiez est-il vivant et en bonne santé?

Chacun porte en lui les sentiments et les attitudes véhiculés depuis l'enfance. Certains milieux ne favorisent pas l'estime de soi. Par exemple, les familles où:

L'enfant doit « devenir adulte trop tôt... »

Dans de telles familles, pour une raison ou pour une autre, les parents étaient incapables de fournir réconfort et sécurité affective à l'enfant. L'un des parents ou les deux sont dépendants de l'alcool ou de drogues, et ils se préoccupent avant tout de satisfaire leurs propres besoins. L'enfant apprend à s'occuper de lui sur le plan émotif et parfois physique. L'aîné se sent responsable de ses frères et sœurs plus jeunes, et l'enfance devient synonyme de responsabilité et de crainte.

L'enfant doit toujours être « parfait... »

Les parents poussent l'enfant au perfectionnisme en refusant de lui témoigner leur approbation ou leur affection tant qu'il ne les a pas méritées. L'enfant réagit aux exigences parentales en faisant des efforts démesurés pour réussir sur les plans matériel, intellectuel et social. Par contre, il ne réussit jamais assez bien pour satisfaire ses parents ou pour se satisfaire...

L'enfant est constamment bousculé, tiraillé, sermonné...

L'enfant reçoit constamment des directives ou des suggestions de l'un de ses parents. Il fait l'objet d'une supervision constante; il n'entend parler que de directives, de projets, d'objectifs, de choses à ne pas oublier, *etc.* Cet enfant en vient à renoncer à faire quoi que ce soit de lui-même et compte sur des stimuli extérieurs pour évoluer dans la plupart des domaines de sa vie. Tôt ou tard, il finit par prendre l'habitude d'oublier, de tout remettre au lendemain, de résister, et il devient apathique. Cet enfant a beaucoup de difficulté à devenir autonome.

L'enfant est la cible des frustrations d'un parent...

L'enfant est la véritable victime d'une famille où l'un des parents dispose de peu d'outils pour exprimer ses sentiments de colère et de douleur. Dans ce type de famille à problèmes, l'enfant sans défense devient la cible de la colère du ou des parents, et subit souvent des sévices et violences morales. Malheureusement, la colère engendrée par des frustrations prend quelquefois des formes subtiles, tels que le sarcasme, les insultes et l'extrême sévérité.

L'enfant est victime de négligence de la part de ses parents...

En Amérique du Nord, la négligence sur le plan affectif est la forme la plus courante de mauvais traitements que subissent les enfants. En plus d'être victimes de diverses formes de négligence physique, nombre d'entre eux sont négligés sur le plan émotif. Cela est souvent dû aux nombreuses occupations et préoccupations des parents. Les enfants de parents bien nantis et socialement très en vue souffrent souvent de cette forme de négligence. Cette situation se retrouve également chez les enfants qui grandissent dans des familles où sévit l'alcoolisme.

La négligence peut être causée par tout ce qui prive un enfant de l'attention et de l'affection de ses parents, que ce soit le travail, les occupations, l'absence, la mort, *etc.* L'une des principales difficultés touchant la négligence n'est pas quelque chose de spécifique que l'on peut pointer du doigt, mesurer, peser, décrire clairement et comprendre. La négligence est insaisissable et elle crée un sentiment de vide; c'est là l'une de ses principales difficultés. Il est difficile pour les enfants d'exprimer par des mots la négligence dont ils souffrent, et cette difficulté persiste à l'âge adulte. Les gens disent ressentir un vide indéfinissable et troublant, au lieu de pouvoir décrire ou comprendre quelque chose de précis.

Souvent, en tant qu'enfants ou adultes, les gens disent ressentir de la torpeur, de l'incertitude, un vide. Plutôt que de pouvoir relater des événements douloureux, ils affirment presque invariablement qu'il ne leur est jamais rien arrivé « de bien grave ». Cette remarque anodine peut être l'indice qu'un élément important a fait défaut pendant leur enfance et qu'il y a eu négligence. Si le père ou la mère n'ont pas été présents lorsque leur enfant traversait des moments critiques sur le plan affectif, il y a eu effectivement négligence.

L'enfant est exposé à des comportements « déconcertants » ...

Le comportement « déconcertant » consiste à envoyer simultanément deux messages contradictoires. Par exemple:

— Je veux que tu te sentes libre de réaliser tes propres rêves, mais n'oublie pas que nous comptons tous sur toi pour assurer la relève de l'entreprise familiale.

— Je t'aime comme tu es, et mes conseils et suggestions n'ont pour but que de souligner quelques petites choses que tu pourrais changer.

Doubles messages déconcertants

Virginia Satir, mon guide, m'a fait connaître l'existence des messages à double niveau. « Les familles à problèmes que j'ai connues, dit-elle, ont toutes utilisé les messages à double niveau dans leur façon de communiquer. Il en résulte un sentiment de "confusion". Quelque chose ne va pas. » Voici quelques exemples :

— Je veux que tu sortes et que tu t'amuses. Cela ne me fait rien de me sentir seul.

— Je sais que tu m'aimes, mais tu ne sais simplement pas comment le montrer.

— Nous aurons des tas d'occasions d'être ensemble, mais pas maintenant.

— Je peux très bien me débrouiller toute seule, mais j'aimerais que tu sois là plus souvent.

— Ça va, ne t'inquiète pas. Je ne me sens pas très bien en ce moment, c'est tout.

— Nous allons toujours prendre soin de toi et nous ne manquons de rien. Mais en ce moment, nous traversons une mauvaise passe.

Les gens qui font partie de notre vie veulent qu'on reconnaisse leurs bonnes intentions, mais qu'on oublie leur comportement décevant. Nous apprenons très tôt à ne pas s'attendre à ce que les bonnes choses arrivent. Au sein des familles malheureuses, peu importe ce qui est dit, peu importe le nombre de sourires, rien ne semble jamais aller comme il faut. Bien souvent, ce que l'on pouvait voir et entendre ne correspondait pas à ce que l'on ressentait. Nous apprenons même comment nous comporter envers nous-mêmes selon un mode de fonctionnement à double message.

— Nous mangeons trop, puis nous suivons un régime.

— Nous faisons deux kilomètres en voiture pour nous rendre à un centre sportif où nous courons pendant deux kilomètres autour d'une piste.

— Nous prenons des vacances, mais passons notre temps à téléphoner à la maison pour nous assurer que tout va bien.

Dans les familles à problèmes, il est rare que l'on apprenne à être cohérent, à concentrer son attention et à vivre le moment présent.

En général, dans les situations déconcertantes, le message le plus souvent exprimé comporte de la bonne volonté, du réconfort, de l'attention, de la sollicitude. Le deuxième message, souvent non verbalisé, est plus indirect. C'est habituellement quelque chose dont on ne veut pas entendre parler, ou auquel on ne veut pas faire face. Souvent, ce message se traduit par un acte... oublier des journées spéciales, manquer un taxi, arriver en retard, se montrer confus ou faible. Un tel comportement rend difficile de croire les mots qui semblent encourageants et compatissants...

Pour bien des gens, l'enfance ne fut pas le moment favorable au développement de l'estime de soi et de la confiance en soi. Ce fut plutôt une période de leur vie où ils se sont sentis effrayés et peu sûrs d'eux. Dans les prochains chapitres, nous allons explorer les reliquats du passé, pour ensuite passer aux différents moyens de privilégier la valorisation personnelle et l'estime de soi...

POURQUOI EST-IL IMPORTANT DE MIEUX COMPRENDRE NOS SENTIMENTS?

Pendant les premières années de leur existence, de nombreux enfants ont vécu une suite d'expériences pénibles et terrifiantes. Un enfant a peut-être eu des parents qui répondaient rarement à son besoin d'être touché, embrassé, réconforté, ou encore qui criaient constamment après lui, projetant leurs propres frustrations et leur colère.

Une méthode de contrôle très pénible que les parents utilisent parfois pour communiquer avec l'enfant consiste à lui inspirer des sentiments de crainte et de culpabilité dans le but de lui « apprendre les bonnes manières ». Parfois, les parents sont tout simplement négligents et indifférents. Plusieurs enfants en auraient long à raconter sur la douleur causée par les critiques et les sarcasmes continuels de leurs parents. Par ailleurs, certains parents formulent des exigences et des attentes qu'aucun enfant ne peut satisfaire.

Le jeune enfant n'a absolument aucune connaissance conceptuelle de ses propres besoins et il ne comprend pas non plus pourquoi ses parents agissent comme ils le font. Ces derniers peuvent eux-mêmes avoir été des enfants brisés ou maltraités, privés d'une enfance. Ils ont peut-être vécu les affres de l'humiliation, le deuil, et leurs espoirs ont été déçus. Mais les petits ne savent rien des souffrances secrètes de leurs parents. Ils ne connaissent pas l'empathie. Les enfants, occupés à trouver leur propre voie dans le monde, ne voient pas que leurs parents sont eux-mêmes des âmes en peine.

La peur, la culpabilité, la colère et la douleur que ressent un enfant deviennent parfois si accablantes que, pour survivre, l'enfant renie la part de lui-même qui lui permet de « ressentir ». Il s'agit d'un mécanisme de défense nécessaire. Afin de survivre et de continuer à fonctionner, l'enfant fuit ses émotions et ses connaissances. Il renie l'enfant en lui et l'enterre.

Ces anciens sentiments deviennent en quelque sorte figés dans le corps, sont barricadés derrière des murs de tension musculaire et physiologique. L'enfant se met alors à développer des comportements de protection (des compulsions, telles que la consommation excessive d'aliments, d'alcool, de cigarettes, de sexe). Pour soulager cette souffrance intérieure, des mécanismes de compulsion (comportement) et de refoulement (sentiments réprimés) sont mis au point — très souvent sans que la personne en soit pleinement consciente. Ces comportements deviennent la source des dénégations et des illusions de nos vies.

Nos sentiments sont un sixième sens, un sens qui interprète, organise, dirige et permet de comprendre les cinq autres sens. N'éprouver aucun sentiment — être engourdi et indifférent sur le plan affectif — c'est être privé d'une perspective plus équilibrée de la réalité. Ne pas éprouver de sentiments, c'est refuser la possibilité d'entrer véritablement en contact avec les autres. Les sentiments sont le dénominateur commun de tous les êtres humains.

Du fait que la réalité soit si dépendante de la connaissance que nous avons de nos sentiments, nous vivons dans la confusion et l'impuissance si nous ne sommes pas conscients de nos propres sentiments et de ceux des autres. Comprendre le langage des sentiments est la clé qui nous donne accès à la maîtrise de soi. Cette connais-

sance accrue peut nous permettre de nous débarrasser de nos sentiments négatifs pour qu'une énergie plus créatrice puisse être libérée, entraînant progressivement la résorption de la crainte et de la douleur. C'est l'envers du cercle vicieux; c'est un cycle de rétroaction positive qui se renforce.

Lorsque vous ressentez la souffrance émotionnelle que chacun éprouve de temps à autre, vous subissez une perte d'énergie, et vous vous sentez triste et désespéré pendant un certain temps. C'est tout à fait naturel. Si vous vous permettez de vivre et de ressentir pleinement les étapes normales de la souffrance, de la colère et de la douleur, sans éviter la réalité — sans la nier — vous résoudrez la situation, et guérirez plus vite et définitivement. Vous retrouverez votre énergie, votre créativité et votre productivité. Le processus de résolution des problèmes émotifs tout au long de la vie permet de grandir et de se développer. Les problèmes de l'enfance refont constamment surface sous forme de conflits dans notre vie. Si nous demeurons ouverts, nous grandissons. Si nous restons fermés et sur la défensive, nous gaspillons notre énergie et nous n'atteignons jamais notre potentiel.

Notre tout premier but, c'est la dépendance; notre deuxième but, l'indépendance; notre but ultime, la maîtrise de soi et la liberté.

...La liberté, c'est comprendre
et ressentir nos émotions...

LE PARDON

Le pardon est un cadeau que nous nous offrons. Cela implique que nous admettions que nous ne connaissons pas toutes les circonstances entourant les personnes qui ont eu un impact sur notre vie. Nous ne possédons pas l'omniscience qui nous permettrait de dire: « Mon père aurait dû être en mesure de nous accorder plus d'attention quand nous étions enfants », ou: « Ma mère n'aurait pas dû être aussi sévère. » Le pardon consiste à reconnaître que nous n'avons ni la connaissance ni la sagesse nous permettant de jouer les rôles de juge, de jury et de bourreau auprès des personnes qui ont pu nous faire du mal dans le passé.

Le pardon est un choix. Nous choisissons la vie pour nous-mêmes et pour les autres lorsque nous pardonnons.

1. Nous nous délivrons du fardeau que représentent nos souffrances, notre colère, notre douleur et notre solitude. Nous guérissons.

2. Nous donnons à quelqu'un d'autre la liberté de vivre sa vie (ou parfois de reposer en paix) et de comprendre ses propres comportements, ses émotions et leurs conséquences.

Pardonner, c'est s'offrir un cadeau
qui permet de guérir.

3
Nouvelles perspectives relatives aux sentiments anciens

COMPRENDRE LES SENTIMENTS

Il arrive que certaines personnes soient un peu déconcertées quand je leur dis qu'il faut comprendre les sentiments. « Qu'y a-t-il à comprendre ? » demandent-elles. « Je sais quand je me sens bien, et quand je me sens mal. Qu'y a-t-il de si compliqué là-dedans ? »

Si les émotions ne consistaient qu'à se sentir bien à un moment donné et mal à un autre, alors il y aurait effectivement peu de choses à comprendre. Mais, comme nous l'avons déjà souligné, nos sentiments actuels sont chargés d'une histoire émotive, une histoire qui s'est passée dans notre enfance et que nous avons transposée dans le présent.

N'oubliez pas ce qui suit

La crainte, la culpabilité, la colère et la douleur que ressent un enfant deviennent parfois si écrasantes que, pour pouvoir survivre, l'enfant nie la part de lui-même qui peut « ressentir ». C'est un mécanisme de défense nécessaire. Pour survivre et continuer à fonctionner, l'enfant s'évade de ses émotions et de ses connaissances intérieures. Il renie son enfant intérieur et l'enterre.

Toutefois, même si l'enfant essaie d'échapper à ses sentiments, de les réprimer et de les enterrer, les sentiments demeurent. Nous sommes, après tout, aussi bien des êtres émotifs que des êtres rationnels, et nos émotions font partie de nous.

Ainsi les sentiments formés pendant l'enfance se figent — comme s'ils étaient enfermés dans une capsule temporelle — et sont transposés dans le présent. Il est vrai que nous savons quand nous nous sentons bien et quand nous nous sentons mal, mais il est également vrai que nous nions plusieurs de nos sentiments parce que

... nous en avons peur;

... nous en avons honte;

... nous pensons qu'ils sont mauvais;

... nous pensons qu'ils sont anormaux.

Comme je l'ai mentionné au chapitre précédent, nos sentiments constituent une sorte de sixième sens, un sens qui interprète, organise, dirige les cinq autres sens et qui nous permet de les comprendre. Ne pas ressentir — être engourdi, figé, fermé et indifférent sur le plan émotif — entraîne, à proprement parler, un déséquilibre dans notre façon de voir le monde et les autres êtres humains. Une personne qui concentre tous ses efforts à maîtriser et à réprimer ses émotions se place dans l'impossibilité d'établir de véritables rapports avec les autres. Elle n'est pas vraiment humaine, *car les sentiments sont le dénominateur commun de l'humanité.*

ENTRER EN CONTACT

Les psychologues, conseillers et thérapeutes ont beaucoup insisté sur l'importance d'entrer en contact avec ses sentiments. Mais que signifie au juste l'expression « entrer en contact »?

D'abord, entrer en contact signifie prendre conscience que nous avons des sentiments, faire connaissance avec notre vie émotive sous-jacente. Cela signifie ensuite apprendre à accepter notre vie émotive comme étant un aspect naturel de notre personnalité, et non en avoir peur ou honte comme s'il s'agissait d'une tare.

Sans ce contact, nous sommes comme des somnambules; nous traversons la vie dans un état de transe, dont nous sortons brusquement de temps à autre, dans la confusion. Tremblants et étourdis, nous sommes accablés par nos propres émotions, et les émotions des autres nous laissent perplexes.

Comprendre le langage des sentiments
est l'une des clés qui mène à la maîtrise de soi.

Quand nous sommes en contact avec nos émotions — que nous comprenons le langage des sentiments — nous disposons d'outils indispensables pour résoudre nos problèmes d'ordre affectif tout au long de notre vie. L'aptitude à résoudre ces problèmes permet de nous épanouir et de nous développer véritablement.

Comme nous l'avons déjà vu, les problèmes de l'enfance refont inévitablement surface à l'âge adulte et sont la source de conflits qui n'ont rien d'enfantin. Si nous restons ouverts au changement, à la compréhension du langage des sentiments, nous avons la possibilité de nous épanouir. Si nous choisissons de rester tels des somnambules et de nous réveiller en sursaut de temps à autre, nous gaspillons notre énergie. Sans être des automates, nous sommes loin d'être humains.

Nous avons presque tous en nous une énergie qui nous pousse de la dépendance à l'indépendance, puis qui nous dirige vers la maîtrise de soi et la liberté. Voyons comment le fait de comprendre nos émotions nous donne une nouvelle perspective et augmente notre capacité de nous accomplir pleinement en tant qu'êtres qui pensent, ressentent et agissent.

Rappelez-vous:

---

*La liberté réside dans la compréhension
des sentiments et dans la capacité d'agir
à la lumière de cette compréhension nouvelle.*

LA COLÈRE

Le mot *colère* nous sert à désigner une gamme très étendue de sentiments...

- La colère peut être tout simplement une légère irritation.

- Nous ressentons souvent de la colère quand nous sommes frustrés ou quand nos plans sont contrariés.

- Les contrariétés peuvent parfois être à peine perceptibles, mais si elles persistent, elles peuvent engendrer une colère terrible.

- Parfois nous ressentons de la rage — appelée souvent une colère aveugle parce qu'elle semble incontrôlable.

- Nous ressentons une forme de colère lorsque nous sommes trompés et déçus — ce qui prend souvent la forme de ressentiment.

- Quand nous sommes en colère, mais que nous ne voulons pas en faire toute une histoire, nous avons recours à des euphémismes. Par exemple: « Je suis vraiment très ennuyé. »

La colère est souvent une réaction causée par une peine ou par une perte, mais il est possible qu'on ne la reconnaisse pas. Si, par exemple, une personne affirme qu'elle ne se met jamais en colère, il se peut en réalité qu'elle ne sache pas reconnaître sa colère. Ou encore qu'elle en soit très consciente, mais qu'elle la nie parce qu'on lui a toujours appris que ce genre de sentiment est socialement inacceptable, mauvais et affreux. Les gens veulent parfois nier leur colère parce qu'elle leur fait peur — ils craignent qu'elle déclenche en eux une rage incontrôlée, qu'elle leur fasse perdre complètement la maîtrise d'eux-mêmes et qu'elle soit la cause de dommages irréparables.

« Je ne dois pas donner libre cours à ma colère », explique Georges, un policier à la retraite, âgé de 55 ans. « On m'a appris à me maîtriser, et, pour être franc, il m'est arrivé de me demander avec inquiétude ce que je ferais si je ne maîtrisais plus ma colère. » Il ajoute d'un ton significatif: « Toute ma vie, j'ai été entouré d'armes à feu, mais je n'en ai pas chez moi. Tous les représentants de l'ordre vous diront que la plupart des homicides commis avec des armes à feu se produisent au domicile de la victime, généralement au cours de querelles familiales, alors qu'il y a eu consommation d'alcool. »

Il importe de reconnaître le sentiment de colère, parce que la colère est une émotion *naturelle*. Il est tout à fait normal de ressentir de la colère à l'occasion. Par contre, cette dernière devient problématique lorsque nous prétendons qu'elle n'existe pas ou que nous *l'utilisons* pour manipuler et intimider les autres.

Il y a deux étapes dans la compréhension de la colère:

1. Apprenez d'abord à mieux connaître votre propre colère, sous toutes ses formes. Observez comment elle vous affecte, comment votre respiration s'accé-

lère et comment bat votre pouls. Sentez le sang qui afflue à votre visage, et la tension qui s'installe dans vos mains, vos jambes, votre cou, votre estomac. Observez le changement qui s'opère au niveau des muscles de votre visage ; regardez-vous attentivement.

2. Apprenez à diriger votre colère *de la bonne façon et vers les bonnes personnes.*

Exprimer sa colère est une réaction naturelle et saine, nécessaire à la santé et à un bon équilibre. Il peut être parfois désagréable de se sentir en colère. La tension artérielle augmente souvent et le rythme cardiaque s'accélère. Mais la tension engendrée par la colère doit être relâchée vers l'extérieur — et de façon appropriée — ou, tout au moins, être reconnue. Sinon, elle peut, dans certains cas, être intériorisée et, de ce fait, couver et causer de l'agacement. Réprimer sa colère et s'appesantir sur elle ne font qu'aggraver le mal qui l'a causée.

Il y a une différence entre une personne blessée qui libère sainement sa colère et celle qui semble être presque toujours en colère et qui, la plupart du temps, fait exploser sa furie. Les colériques compulsifs et les gens amers pensent souvent que la vie est injuste envers eux et rendent les autres responsables de leurs malheurs. Ils utilisent la colère comme un moyen de défense et de rationalisation pour blâmer les autres.

Ce type de colère n'est ni sain ni approprié. La spécificité est un bon moyen pour évaluer si la colère est appropriée. Il s'agit de relier celle-ci à un événement ou à une situation qui peut être spécifiquement décrite.

Un comportement empreint d'assurance empêche un comportement agressif. Il protège les droits et les sentiments de la personne. Tandis que le comportement agressif, lui, attaque les droits et les sentiments de quelqu'un d'autre.

Bien des gens voudraient s'affirmer davantage, mais bien souvent, ils ne se rendent pas compte que cela relève d'une habileté. Par ailleurs, ils confondent parfois affirmation de soi et agressivité. En quoi consiste une affirmation de soi appropriée?

1. Dire à quelqu'un que vous êtes en colère et pourquoi vous l'êtes. Associer la colère au véritable sentiment qui se cache derrière les mots. Il ne faut pas être évasif; vous excuser ou vous humilier quand l'émotion que vous ressentez en est une de colère. Il ne faut pas non plus « exploser » et devenir irrationnel.

2. Dans les situations où il ne serait pas prudent d'exprimer votre colère, vous pouvez libérer les sentiments refoulés auprès d'un ami ou d'un thérapeute spécialisé en la matière. Il est important de prendre correctement conscience de la situation pour que les mots, les gestes et les sons soient d'importants véhicules d'extériorisation.

Notez que frapper le chien, courir vingt kilomètres par jour, ou changer constamment les meubles de place ne sont *pas* des comportements appropriés.

Apprendre à identifier sa colère est une dimension importante du processus de maturité et de guérison. Bien des gens se méprennent en disant éprouver de la peine, de la tristesse ou de la culpabilité, alors qu'il s'agit en réalité de colère.

Rester bloqué dans un sentiment de colère peut entretenir chez les gens la dépression, la fatigue, la frustration, la confusion, la solitude et la peur. De plus, le fait de broyer amèrement les injustices, les souffrances et les conflits passés prend énormément d'énergie. Cette énergie pourrait être utilisée pour favoriser la croissance personnelle.

Avec le temps, la colère refoulée engendre la rage. La rage devient plus généralisée à mesure qu'elle s'intensifie, tandis que la colère est plus spécifique, plus facile à cerner et à guérir. Un des avantages à exprimer honnêtement sa colère, c'est que cette extériorisation permet souvent d'éprouver un soulagement, de se sentir mieux compris et parfois plus accepté. Exprimée correctement, la colère peut même ouvrir la voie vers l'intimité.

Cependant, si elle est exprimée de façon confuse, déguisée ou voilée, la colère peut aggraver une situation. À titre d'exemple, le cas de Fabrice et Cendrine, un jeune couple marié depuis deux ans. Quand il était célibataire, Fabrice avait l'habitude d'aller déjeuner au restaurant le samedi matin avec ses deux frères et d'avoir des conversations « d'homme à homme ». Parfois, après le repas, ils allaient voir une partie de baseball ou une salle de montre d'automobiles. Ce rituel reprit après le voyage de noces du jeune couple.

Comme il fallait s'y attendre, Cendrine n'était pas particulièrement ravie de ces séances « pour hommes seulement » auxquelles Fabrice consacrait tous ses samedis matin. Elle et son mari travaillaient tous deux à temps plein, et la fin de semaine était le seul moment où ils pouvaient vraiment être ensemble. Cendrine aimait Fabrice et appréciait sa compagnie, si bien qu'elle souhaitait passer le plus de temps possible avec lui à bavarder, se distraire, donner libre cours à leurs ébats amoureux. De plus, elle aurait bien aimé qu'il aide aux travaux ménagers...

Comme Fabrice continuait à passer entre six à huit heures tous les samedis avec ses frères, Cendrine s'est sentie fâchée, blessée, abandonnée et jalouse. Il lui semblait que Fabrice tenait plus à ses frères qu'à elle.

Comme vous pouvez le deviner, la situation était sur le point d'exploser.

Au sein de sa propre famille, Cendrine avait appris que la colère était une émotion dangereuse, qu'il ne fallait jamais l'exprimer ouvertement, à moins que la situation, devenue insupportable, ne vous y pousse. Alors Cendrine exprimait ses sentiments de colère en harcelant Fabrice, en se plaignant et en faisant des commentaires sarcastiques.

Plutôt que d'expliquer à Fabrice qu'elle se sentait seule et qu'elle aimerait passer plus de temps avec lui parce qu'elle l'aimait, elle lui faisait des commentaires tels que « Je suppose que tu sors encore avec tes frères » — sur un ton qui traduisait parfaitement sa désapprobation.

Cendrine se plaignait parce que Fabrice dépensait de l'argent, elle passait des commentaires désobligeants sur les frères de ce dernier, et insinuait qu'il était trop faible pour se séparer de sa famille.

Comme ces tactiques n'empêchaient pas Fabrice de sortir, Cendrine boudait, pleurait et s'enfermait dans un silence lourd de colère. Pour se venger, le soir venu, elle se mit à repousser les avances de son mari. Fabrice a donc combattu le feu par le feu. Lorsque Cendrine le harcelait et se plaignait, il devenait intraitable et distant. Un mur de ressentiments s'érigea entre eux.

Cendrine, désireuse de sauver son mariage, chercha de l'aide. Elle apprit des façons plus appropriées d'exprimer sa colère. Au lieu de recourir aux larmes, au sarcasme ou au retrait, elle apprit à s'avouer à elle-même la nature véritable de ses sentiments et à les exprimer à Fabrice avec amour et non sur un ton accusateur.

Comme la plupart d'entre nous, Cendrine croyait, depuis son enfance, qu'une confrontation devait toujours être désagréable, déplaisante et négative. Mais *il n'est pas nécessaire qu'il en soit ainsi.* Une confrontation — même fondée sur la colère — peut être réfléchie, détachée et ferme, tout en étant affectueuse envers l'être aimé.

L'objectif est d'exprimer ce que nous pensons, tout en con-
servant notre dignité, et non de démolir l'autre. Nous voulons plutôt lui souligner qu'un certain comportement
cause des problèmes, lui proposer des solutions possibles,
et nous engager à faciliter le changement.

Au lieu d'emprunter un ton sarcastique et d'accuser
Fabrice d'être « une brute égoïste qui se moque de ce
qu'elle ressent et qui a encore besoin de l'approbation de
ses imbéciles de frères pour se sentir un homme », Cendrine dit: « Je suis en colère, parce que... » Ensuite, elle
parla de ses sentiments de solitude et d'isolement. Elle
assura son mari qu'elle l'aimait et qu'elle ne voulait pas le
séparer complètement de ses frères, mais qu'elle aimerait
bien passer au moins deux samedis par mois avec lui.

Que feraient-ils? Discuter, pique-niquer, regarder la
télévision, vaquer aux travaux ménagers, faire l'amour ou
rendre visite à sa famille à elle pour faire changement. Ils
pourraient faire des compromis et voir leurs familles à
tour de rôle. Cendrine voulait, par-dessus tout, faire
savoir à Fabrice qu'elle voulait passer du temps avec lui
parce qu'elle appréciait grandement sa compagnie.

Au début, Fabrice était sur ses gardes. Il s'attendait à
entendre encore la litanie d'accusations habituelles. Mais
Cendrine n'a pas réagi négativement en voyant Fabrice se
hérisser. Elle s'est empressée de reformuler clairement
ses préoccupations en donnant des exemples précis, et elle
n'a pas exigé de son mari qu'il cède entièrement à ses
demandes.

Le mariage de Fabrice et Cendrine se porte beaucoup
mieux aujourd'hui. Fabrice avoue: « J'ai toujours su que le
temps que je passais avec mes frères agaçait Cendrine,
mais je pensais qu'elle était jalouse, égoïste et possessive.
Je crois que je me suis vraiment rendu compte à quel
point elle tenait à moi lorsqu'elle a cessé de me harceler. »

En apprenant comment exprimer ouvertement aussi
bien ses sentiments négatifs de colère que ses sentiments

positifs d'amour, Cendrine est parvenue à créer, dans son couple, l'intimité qu'elle désirait tant.

Se libérer de la colère et de la rage signifie souvent qu'il faille détruire les modèles véhiculés depuis l'enfance, selon lesquels « on doit réprimer ses sentiments plutôt que de les exprimer pleinement ». Extérioriser sa colère peut aider à « se dégager » afin d'aller plus avant et d'éprouver d'autres sentiments.

Les obstacles à l'expression de la colère

1. Les personnes dépendantes ont peur de ne plus être aimées si elles se mettent en colère. Elles ont peur d'être rejetées ou abandonnées. Elles luttent sans enthousiasme et ont tendance à se plaindre et à pleurnicher au lieu d'exprimer leur colère et d'utiliser cette énergie de façon constructive pour trouver une solution à leur problème. Elles gaspillent beaucoup d'énergie et se sentent souvent déprimées et apathiques.

2. Les personnes autoritaires ont tendance à intellectualiser leur colère et à la dépouiller de tout sentiment. Elles confondent les problèmes, étudient toutes les éventualités possibles et verbalisent ou esquivent leurs émotions au lieu de les ressentir. Elles accumulent tant de colère qu'elles finissent par exploser de façon totalement irrationnelle. Leur peur de « perdre le contrôle » est souvent justifiée parce que l'expression saine et cohérente de leur colère leur fait défaut.

3. Les personnes séductrices masquent souvent leur colère. Elles laissent entendre qu'elles sont en colère, sans cesser de sourire les dents serrées. Les sentiments se manifestent souvent sous forme de malaises physiques. Maux de tête, tension musculaire et brûlements d'estomac sont autant d'indices de colère retenue.

Quelques trucs pour exprimer une colère sainement

1. Gardez le silence et laissez les sentiments de colère faire surface...

2. Reconnaissez personnellement votre mérite d'être capable de sentir et d'accepter la réalité de votre colère...

3. Exprimez cette colère à l'endroit de la personne ou des personnes en cause le plus honnêtement possible, et dès que vous le pouvez...

4. Reconnaissez encore une fois votre mérite à être honnête et direct...

LA CULPABILITÉ

La culpabilité est le sentiment d'être indigne, mauvais, stupide et désolé. Elle résulte très souvent d'une colère refoulée au point de la tourner vers soi. Les personnes qui se sentent très coupables ont tendance à se complaire dans leurs sentiments négatifs, à titre d'autopunition dont elles tirent une forme de soulagement de la culpabilité ressentie. Les personnes qui éprouvent, soit de la culpabilité, soit de la colère ont un trait en commun: elles ont de la difficulté à reconnaître la source même de leurs sentiments engendrés par une colère longtemps refoulée. Avec le temps, la personne en vient à douter de sa propre valeur et retourne contre elle une énergie de plus en plus négative, renforçant ainsi les sentiments de culpabilité.

Cette situation est particulièrement vraie si des relations conflictuelles existent entre certaines personnes ou à l'intérieur d'une famille. À un certain moment, une personne décide de mettre un terme au conflit, de demander de l'aide ou d'apporter des changements, par exemple en

J'étais en colère quand tu...

mais ça va maintenant.

consultant un thérapeute ou en suivant un traitement, dans le cas d'alcoolisme. Ce désir d'obtenir de l'aide et de mettre fin à la comédie est en soi une confrontation visant tous les jeux et toutes les malhonnêtetés au sein de la famille ou de la relation.

Quand la personne qui aspire à une forme d'aide et au changement commence à se transformer et à développer des sentiments d'estime de soi, cela constitue souvent une menace pour ceux qui n'ont pas choisi la même voie. Ils tiennent souvent la thérapie ou le traitement responsable des changements survenus chez l'autre qu'ils accusent d'être insensible ou de refuser de prendre part aux mêmes luttes de pouvoir destructrices.

Parfois, la personne qui est allée chercher de l'aide est si peu habituée à éprouver cette nouvelle estime de soi qu'elle avoue se sentir coupable quand on l'accuse. Il est important de savoir que ce sentiment n'est pas un véritable sentiment de culpabilité. Il s'agit d'un sentiment de « culpabilité de guérison », qu'on appelle aussi « colère ». Celle-ci est tellement effrayante dans le processus de la valorisation personnelle que la tentation d'y voir un sentiment de culpabilité est très grande. Il faut que la colère soit identifiée correctement et qu'elle soit exprimée comme telle.

Toute personne qui a la volonté de travailler
pour parvenir à l'estime de soi mérite
grandement cette estime et toutes les bonnes
choses qui en découlent.

Les sentiments de culpabilité peuvent s'emparer de nous et diriger des énergies vers l'intérieur tout en nous punissant, souvent de façon confuse, illogique et incontrôlable. Notre mémoire devient sélective, concentrée uniquement sur les moments où nous avons dérogé à une règle supérieure, ou causé de la peine ou de la souffrance à quelqu'un.

Les signes de réalisations antérieures et de bonnes choses du passé deviennent vagues, difficiles à se remémorer, tandis que les souvenirs de transgression demeurent présents et vivants à l'esprit. En évoquant seulement nos sentiments de culpabilité, nous entretenons le malaise en nous. Nous semblons devenir dépendants d'un travail qui ne nous satisfait pas, de relations malheureuses et de situations de vie punitives.

Deux situations semblent particulièrement propices à la formation de sentiments de culpabilité: ressentir de la colère envers ses parents ou envers ses enfants. Ces deux situations semblent engendrer, pour une raison ou pour une autre, des états de grande anxiété et d'incertitude quand il s'agit de faire face aux sentiments de colère. Il est important de se rappeler qu'il peut y avoir des moments où une saine colère est le sentiment le plus approprié à éprouver envers les parents ou les enfants.

Quand nous exprimons sainement notre colère à nos enfants, nous leur apprenons le respect et la notion des frontières personnelles. En se respectant soi-même et en établissant des frontières quant à la façon dont nous voulons être traités, nous apprenons à nos enfants qu'il est souhaitable et approprié d'avoir le droit d'établir des frontières pour soi-même. En leur démontrant comment exprimer la colère, comment la recevoir et comment en tirer des leçons, nous établissons les bases du type de relations que nous pourrons entretenir en tant qu'adultes et qui, nous l'espérons, développeront des liens d'amitié solides les uns envers les autres.

La relation avec les parents relève d'un problème tout à fait différent. Nous entretenons parfois le mythe selon lequel nos parents détiennent généralement le monopole de la sagesse et de la connaissance et qu'ils vont toujours nous accepter tels que nous sommes. Cependant, la réalité est tout autre: les parents sont simplement des personnes humaines qui, justement, ont des enfants. Répétez:

LES PARENTS SONT SIMPLEMENT DES PERSONNES HUMAINES QUI, JUSTEMENT, ONT DES ENFANTS.

Cela ne signifie pourtant pas que ces personnes sont plus responsables, plus savantes ou plus attentives que celles qui n'ont pas eu d'enfants.

Un enfant à qui l'on n'a pas appris qu'il est sain d'exprimer sa colère se sent souvent coupable, une fois adulte, d'exprimer des sentiments naturels de colère à l'égard de ses parents. L'adulte nourrit alors du ressentiment envers ces derniers, en constatant qu'ils l'ont privé d'amour et de support aux moments où, enfant, il en avait le plus besoin.

La colère qui n'a pu être extériorisée pendant l'enfance cherche toujours à se faire entendre, et pourtant l'adulte aux prises avec cette colère a encore peur de poser des gestes pour lui-même. Il aurait l'impression d'aller à l'encontre des valeurs parentales inculquées, augmentant ainsi sa propre culpabilité. Pour une personne qui vit sans cesse dans la crainte de causer de la peine à ses parents, la vie devient la répétition pénible d'une enfance confuse, et toutes les autres relations s'imprègnent de cette crainte d'exprimer sa colère ou sa peine.

Il est crucial d'insister sur la résolution de la colère entre l'enfant et les parents, parce que la peur et la colère *non résolues* de notre enfance teintent nos relations actuelles d'adultes — que nous en soyons conscients ou non.

Il est également important de reconnaître qu'il existe une forme de culpabilité appropriée. Ce type de culpabilité est sain et indique que nous avons de quelque façon blessé ou causé du tort à une autre personne ou à nous-mêmes.

La culpabilité appropriée provoque en nous un malaise jusqu'à ce que nous ayons fait amende honorable ou réparé le tort que nous avons causé. Nier sa responsabilité lorsqu'on est en cause ne peut que renforcer le sentiment de culpabilité. Le meilleur moyen de se soulager, c'est d'endosser la faute pour ses actes, de demander pardon et de réparer les dommages causés. C'est un moyen remarquable pour relâcher la tension intérieure et aider tout le monde à se sentir mieux, y compris soi-même.

Nier sa responsabilité quand on a causé du tort à quelqu'un ne peut que renforcer le sentiment de culpabilité. Le meilleur moyen de se soulager, c'est d'endosser la faute pour ses actes, de demander pardon et de réparer les dommages causés.

Il est difficile de se libérer de tout un mode de vie établi sur la culpabilité, mais pas autant que de continuer à vivre dévoré par cette culpabilité.

Prenons l'histoire de Carole, cette jeune femme âgée de 20 ans qui rêvait d'une belle carrière. Pourtant, elle se sentait coupable chaque fois qu'elle tentait de quitter le nid familial. Elle se sentait prise au piège, complètement épuisée sur les plans physique et affectif. Sa mère était « maladive » et son père comptait beaucoup sur sa « princesse ».

Plus le temps passait, plus Carole espérait une relation amoureuse et souhaitait se libérer des pressions et des attentes de ses parents. Elle réussit finalement à déménager dans une autre ville, non sans avoir eu plusieurs séances de larmes avec ses parents.

Carole déménagea à 800 kilomètres de sa ville natale. Cependant, son sentiment de culpabilité subsistait. Sa mère avait besoin d'elle pour l'aider, l'appuyer, lui tenir compagnie; et son père, comme soutien principal du foyer.

Alors, malgré les 800 kilomètres qui la séparaient de ses parents, Carole leur rendait visite au moins une fois par mois et les appelait religieusement tous les deux ou trois jours.

Les hommes que Carole fréquentait devaient se contenter d'une petite place dans sa liste de priorités. Elle avait d'autres obligations; ses émotions et son temps devaient être consacrés à d'autres exigences.

Après avoir connu un troisième échec amoureux, Carole entreprit une thérapie. Cela lui permit de se rendre compte qu'une grande partie de son enfance lui avait filé entre les doigts, qu'elle était prise au piège dans le mariage de ses parents, et que ces derniers, d'une certaine façon, profitaient d'elle sur le plan affectif. Afin de développer sa personnalité, elle devait avoir du temps à elle, respecter son espace, et créer une distance entre elle et ses parents. Mais lorsqu'elle essayait de donner suite à ces besoins, elle se sentait punie par ses parents sur le plan affectif.

Progressivement, Carole se mit à comprendre ses propres besoins, et à prendre conscience que ses parents avaient l'un envers l'autre la responsabilité de satisfaire leurs besoins mutuels.

Carole déménagea de nouveau. Mais cette fois-ci, elle choisit une ville de la Nouvelle-Angleterre qu'elle avait toujours rêvé de visiter. Avant son départ, elle expliqua à ses parents pourquoi elle sentait le besoin de partir aussi loin. Elle établit également des limites spécifiques quant aux rapports qu'elle entretiendrait avec eux.

Avec un grand courage dépourvu de toute culpabilité, Carole a finalement entrepris de vivre sa propre vie.

Conseils pour se débarrasser d'une culpabilité malsaine

1. Cessez de prétendre, vis-à-vis de vous ou des autres, que vous ne ressentez rien ou que vos sentiments n'ont pas d'importance...

2. Rappelez-vous de toujours considérer honnêtement vos propres besoins. Vous n'êtes pas obligé de satisfaire les besoins des autres; c'est leur responsabilité. Vous vous devez d'être loyal envers vous.

3. Rappelez-vous que vous êtes la seule personne à savoir ce qui vous convient le mieux. Les seuls critères et les seules exigences que vous devez satisfaire sont exclusivement les vôtres.

4. Ayez confiance en vous et en vos sentiments, et acceptez-vous tel que vous êtes. Vous êtes très bien tel que vous êtes.

5. Demandez-vous honnêtement:

   • Qu'est-ce que je veux pour moi dans la vie?

   • Qu'est-ce que je fais pour l'obtenir?

   • Quels sont les obstacles qui m'empêchent d'obtenir ce que je veux?

   • Qui les a placés sur mon chemin?

   • Pourquoi ai-je attendu qu'une crise survienne pour m'obliger à agir?

   • Qu'est-ce que je vais faire maintenant?

N'oubliez pas ces faits essentiels:

Vous n'appartenez à personne, quelle que soit la relation. Vous n'êtes pas ici, sur cette terre, pour réaliser les rêves ou combler les besoins ou les souhaits d'un parent, d'un conjoint ou d'un enfant. Vous n'avez pas non plus la responsabilité de protéger les autres contre

Mon voyage est
    mon voyage...

les conséquences ou les réalités auxquelles ils doivent faire face. Vous êtes ici pour exister, vous développer, vous épanouir et grandir et n'avoir de responsabilité qu'envers vous-même. Si l'on envisage les choses sous une perspective plus large, il serait également bien si vous pouviez contribuer à rendre notre monde meilleur parce que vous y avez vécu.

LA HONTE

La honte est différente de la culpabilité. La culpabilité correspond à une faute spécifique commise envers soi ou envers quelqu'un d'autre. La honte, par contre, consiste en une généralisation confuse. C'est le sentiment de n'avoir aucune valeur et d'être moins bon que les autres. Dans les familles où les valeurs reposent sur la honte, les gens ont l'impression que leur existence ne compte tout simplement pas. Celle-ci n'est pas nécessairement bonne ou mauvaise, elle n'a aucune importance. Quand les gens ressentent de la honte, il n'y a rien qu'ils puissent faire. Ils se sentent dénués de toute valeur, et croient qu'il n'y a rien pour faire changer les choses.

Les gens comptent parfois sur les institutions pour renforcer la honte. L'église, l'école, les autorités deviennent alors le symbole de ce qui est bien et convenable. Les gens considèrent qu'ils sont mauvais si leur comportement ne correspond pas aux critères des autorités. La honte est une attitude et une situation d'impuissance. Elle ne peut pas se guérir; elle ne peut qu'être transformée en culpabilité. Ce n'est qu'ensuite qu'il y aura des possibilités de changement de comportement.

La culpabilité a sa raison d'être lorsqu'un comportement implique:

- de mentir à un ami;

- d'avoir un accident de voiture sous l'influence de l'alcool;

- de voler de l'argent à un parent;

- de provoquer constamment des querelles avec son conjoint;

- d'ignorer les besoins des autres.

La culpabilité est une réaction à un événement. L'accumulation de culpabilité (non exprimée) devient de la honte, qui est un état de dévalorisation de soi. Au lieu d'éprouver des remords à la suite d'un événement précis, non seulement ces sentiments s'accumulent jusqu'à ce que l'événement soit oublié, mais ils se transforment; la personne se sent seulement « mauvaise ».

Par exemple, si une personne se sent coupable de ne jamais rendre visite à sa famille ou à de vieux amis, elle se sentira un jour ou l'autre la « mauvaise » personne de la famille. Ce sentiment d'être une « mauvaise personne », c'est la honte.

Voici deux cas typiques de honte:

- Un individu choisit de ne pas pratiquer la religion adoptée par sa famille et il en éprouve un malaise.

- Une femme a des relations sexuelles hors mariage, tombe enceinte et décide de se faire avorter; cette suite

d'événements l'amènera à avoir l'impression d'être une
« mauvaise personne ».

La honte consiste à se croire sans valeur...

*   se sentir trop petit;

*   se sentir moins intelligent que les autres;

*   ne pas se sentir attirant;

*   ne pas se sentir important;

*   ne pas se sentir désirable;

*   se sentir stupide.

LA DÉPRESSION

La dépression, tout comme la culpabilité, survient
souvent quand la colère est refoulée. Il faut déployer de
l'énergie et avoir un sens des responsabilités et de
l'enthousiasme pour faire en sorte que le monde devienne
un endroit agréable et sain où il fait bon vivre. La personne minée par la colère a très peu d'énergie saine pour
elle-même, les autres ou le monde. Quand deux personnes, l'une heureuse et l'autre déprimée, regardent un
même objet, la première y voit ce qu'il a de mieux et la
seconde, ce qu'il a de pire. La personne déprimée voit dans
les autres et dans le monde un reflet de ses propres sentiments intérieurs. Elle a tendance à se concentrer sur les
absents, sur son vide intérieur, sur les rêves qu'elle n'a
pas réalisés, sur ses problèmes, sur son impuissance.
L'énergie se tourne contre elle.

Voici quelques exemples courants :

*   Noël approche. Paul et Maryse sont impatients de
    revoir leurs cinq enfants. Une semaine avant Noël, une
    de leurs filles téléphone pour les informer qu'elle ne
    pourra pas être présente. Paul accepte ce changement à
    leurs plans avec déception, mais il passe à autre chose.
    Maryse, cependant, se tourmente, fulmine. Pendant le

repas de Noël, elle pleure parce qu'un de ses cinq enfants manque à la fête. Tout le monde se sent alors mal à l'aise et ce comportement met fin à tous les bons sentiments parmi les autres membres de la famille.

* Simon aimerait que son père

  — le prenne dans ses bras;

  — s'intéresse à sa carrière;

  — l'accepte et aime sa femme.

Avec le temps, le père de Simon a fini par accepter Simon et sa femme, et par s'intéresser à la carrière de son fils. Toutefois, Simon ne se sent toujours pas aimé parce que son père éprouve encore de la difficulté à le serrer dans ses bras. Simon et Nathalie se sentent tristes et mal aimés parce qu'ils ne peuvent obtenir exactement ce qu'ils désirent. Centrés sur leur déception, ils sont incapables d'apprécier ce qu'ils ont déjà.

Les personnes qui ont subi une perte éprouvent une tristesse normale et saine. Leur douleur se mêle à une colère qu'elles expriment. Parfois même, elles s'affligent sainement d'un deuil. Par contre, celles qui vivent une perte sans passer par les étapes de la colère (extériorisée) et du deuil (exprimé) accumulent des sentiments qui, éventuellement, dégénéreront en dépression non spécifique.

Au fil du temps, la personne oublie l'événement qui est à l'origine de son sentiment et se sent déprimée. Plus cela dure longtemps, plus les souvenirs d'événements s'estompent et plus il devient difficile de trouver une solution, de retrouver son énergie positive et sa vitalité.

Diriger l'énergie vers l'extérieur est la première étape pour affronter la dépression. Dans les premiers temps, il peut être utile de concentrer son attention sur son énergie corporelle: s'obliger à bouger et à réveiller son corps quant aux activités plus saines, aux habitudes de sommeil et aux relations avec les autres. À mesure que le corps recommence à utiliser une partie de cette énergie dirigée vers l'extérieur, on se sent renaître. À cette étape-ci, il est important de chercher des indices de culpabilité ou de colère. Le fait de commencer à exprimer même les plus petits sentiments de colère ou d'irritation contribuera à « réveiller » davantage la personne déprimée.

Une dépression sans gravité peut être traitée par de simples changements physiques et par le simple fait d'amener la personne déprimée à exprimer ses irritations et ses déceptions. Plus la personne est déprimée, plus elle est susceptible d'avoir besoin d'aide pour démasquer la colère et la culpabilité qu'elle s'est évertuée si longtemps à éviter.

Rappelez-vous toutefois que certaines formes de dépression ont des origines biochimiques et qu'elles peuvent être causées par de mauvaises habitudes de vie — telles qu'une déficience nutritive découlant de mauvaises habitudes alimentaires (manger trop, pas assez ou mal), une consommation excessive de café, des habitudes sédentaires, le stress, *etc.*

On a par ailleurs constaté que, chez certaines personnes, la dépression découlait d'une prédisposition génétique, d'un mauvais fonctionnement des neurotransmetteurs ou encore des fluctuations saisonnières de la lumière. Lorsque ces types de dépression ne sont pas en jeu, on peut envisager la dépression d'origine psychologique, la dépression nourrie par la colère.

Un bon moyen de se libérer d'une dépression nourrie par la colère est de découvrir la colère qui nous habite et de lui donner libre cours. L'expression appropriée de cette colère peut aider à enrayer la dépression.

Attention: Le fait d'exprimer les sentiments ne les « guérit » pas automatiquement. En d'autres termes, faire exploser votre rage aux yeux du monde entier peut vous procurer un sentiment de bien-être momentané, mais cela ne constitue pas en soi une panacée ou un remède miracle contre la dépression.

La présence d'un thérapeute peut vous être d'un grand secours. Cette personne vous écoutera parler de votre dépression sans en diminuer l'importance, saura identifier la colère s'il y a lieu, et vous conseillera des moyens pour vous aider à mieux prendre soin de vous si cela est nécessaire. De par ses connaissances, cette personne sera en mesure d'identifier s'il s'agit de cafard, d'une réaction allergique, d'un effet secondaire provoqué par un médicament, de troubles affectifs saisonniers, de syndrome prémenstruel ou de toute autre dysfonction de nature hormonale.

La compréhension et la divulgation des sentiments ne font pas automatiquement disparaître la dépression. Les gens apprennent souvent à dévoiler leurs sentiments, à exprimer leur colère, leur peur et leur ressentiment, et ils comprennent bien des choses. Pourtant, ils ont l'impression que rien ne change. Il faut donc aller plus loin et cela implique que l'individu doive *passer aux actes,* et non se contenter de ressentir des émotions et d'être perspicace dans le cadre de sa thérapie. Sans cette démarche, les personnes troublées peuvent facilement devenir dépendantes de la thérapie, des as du jargon, des experts dans l'expression des émotions (vous voulez de la colère? En voici de la colère... grrrr!) (Vous voulez des larmes? Vous voilà servis [le déluge...]), et des spécialistes dans la compréhension profonde de ce qui les pousse à faire ceci ou à ressentir cela.

Réfléchissez à ceci: quand un thérapeute encourage l'expression des émotions chez une personne, il tient parfois pour acquis que l'entourage de cette personne lui manifestera une attention bénéfique.

En fait, le contraire se produit dans la plupart des cas. Il n'est pas judicieux, dans certaines situations, de donner libre cours à ses émotions. Cela peut être imprudent, voire indiscret; et la discrétion, comme nous le rappelle le Falstaff de Shakespeare, est peut-être la plus grande part de la bravoure.

LE DEUIL

Le deuil est une réaction normale à une perte. Quand nous subissons une perte importante, cette perte s'accompagne de toute une gamme de sentiments: colère, peine, culpabilité, terreur, vide, tristesse, impuissance. Le deuil est une concentration de tous les sentiments qui accompagnent normalement une perte importante; par exemple un décès, un divorce, ou l'éloignement d'un être qui nous est cher.

Nous pouvons aussi éprouver un deuil en raison de:

- la perte de l'enfance (grandir dans un foyer où ses besoins affectifs et parfois physiques ne peuvent être comblés, par exemple dans une famille minée par l'alcoolisme);

- la perte de la santé (devoir accepter un diagnostic de maladie);

- la perte d'un idéal (découvrir que son enfant ne réalisera pas les rêves qu'on a toujours faits pour lui);

- la perte d'un espoir (ne pas obtenir la promotion désirée).

En un mot, le deuil, naturel et normal en soi, peut avoir plusieurs causes.

Il est normal d'avoir du chagrin à la suite d'une perte. Il serait plutôt anormal de refuser d'éprouver tous les sentiments nécessaires pour franchir les étapes de ce processus ou de refuser le support qui nous est offert. Pour surmonter le deuil, il est nécessaire de laisser tous les sentiments faire surface et de les exprimer. Le processus nous permet d'admettre la réalité de la perte, puis de réapprendre à vivre sans la personne ou la chose perdue, au lieu de passer tout notre temps à ressasser nos souvenirs, seul ou avec d'autres. Vivre un deuil est extrêmement difficile. Cela implique la volonté de continuer à vivre en tant que personne honnête, attentive et responsable, quels que soient les moments difficiles que nous avons vécus, ou l'importance de la perte subie.

Comme nous l'avons déjà vu, la perte et le deuil peuvent prendre plusieurs aspects différents. Francine, une maîtresse de maison âgée de 40 ans, a vécu de multiples pertes, de nombreux deuils dans un laps de temps très court. Son mari l'ayant quittée pour une autre femme, Francine a dû faire face au divorce, aux difficultés de la vie de célibataire et à la perte de revenu, tout en ayant l'impression qu'une partie d'elle-même lui avait été arrachée : dix-sept ans de mariage, de bons et de mauvais souvenirs.

« Ce fut un coup dur », confia-t-elle à sa thérapeute. « Par moments, j'aurais préféré être morte. »

Néanmoins, Francine a trouvé le courage de faire face à ses pertes et de poursuivre son chemin malgré et contre tout. Cela n'a pas été facile. Il lui a fallu se faire de nouveaux amis, trouver du travail et, la chose peut-être la plus difficile, se regarder en face, faire un bilan honnête et courageux de la situation afin de surmonter sa douleur, sa colère et son ressentiment, et d'entreprendre quelque chose de positif pour elle.

Nous apprendrons à vivre dans le présent en acceptant les choses comme elles sont et en nous ouvrant aux expériences de la vie. Nous devons adopter de telles attitudes, malgré les pertes que nous avons subies.

Nous nous détachons du passé pour faire place au présent. Cependant, un tel détachement ne peut se produire tant que nous n'avons pas pris la responsabilité d'exprimer nos sentiments relativement au passé. Ce n'est qu'ensuite que nous pourrons avancer. Nous nous rendons compte que plusieurs personnes de notre entourage sont prêtes à nous tendre la main si seulement nous leur en donnons la possibilité. Nous cessons de rejeter les gens pour l'unique raison qu'ils ne correspondent pas exactement à ce que nous voulons. Nous laissons tomber l'infantilisme émotif afin d'obtenir en échange une maturité affective et une sensation de bien-être et d'accomplissement.

La vie est un mélange d'éléments variés et nous subissons tous des pertes :

- une enfance heureuse ;

- la santé et la vigueur de la jeunesse ;

- le fantasme de la puissance et de la vie éternelles ;

- la sécurité financière ;

- les enfants qui quittent la maison ;

- l'éloignement d'une personne qui nous est chère ;

- un travail qui nous plaisait vraiment ;

- le divorce.

Certaines pertes surviennent trop rapidement et d'autres semblent injustes, mais la vie consiste, en partie, à apprendre à s'ajuster à une perte et à accepter ce qui est d'abord perçu comme une injustice. Et à la fin, bien entendu, on perd la vie elle-même.

S'affliger, par conséquent, n'est pas une faiblesse, ni le deuil, une punition. Il s'agit d'une réalité psychologique et émotive de la vie. Il est nécessaire d'apprendre à s'ajuster et à surmonter l'affliction qui est une émotion honorable et estimable. De plus, surmonter le deuil a une fonction thérapeutique.

Le deuil procure compréhension et sagesse. Il nous permet de commencer à discerner ce qui est important et ce qui ne l'est pas. Nous avons la capacité de sentir l'énergie véhiculée par nos sentiments. Cette prise de conscience de soi aide à atteindre l'équilibre et à parvenir à une profonde compréhension de soi.

Elisabeth Kübler-Ross nous a appris les étapes naturelles du processus de deuil :

1. La négation : « Il est impossible que cela m'arrive. »

2. La colère : « Pourquoi moi ? Pourquoi maintenant ? »

3. La négociation : « Si je faisais un peu plus d'efforts, si je changeais, cela n'arriverait peut-être pas. »

4. La dépression : « L'impuissance et l'abdication. »

5. L'acceptation : « C'est comme ça, alors je vais l'accepter et en tirer le meilleur parti. »

Pendant ce temps, divers changements physiques se produisent. Cela aussi, c'est normal. Par exemple :

• oppression dans la poitrine ;

• accélération de la respiration ;

• maux de tête ;

• perte d'appétit ;

• insomnie.

Avec le temps, si on fait face à toutes les étapes du deuil et si on les vit pleinement, le sentiment d'acceptation entraîne la guérison intérieure. Certains sentiments de tristesse et de perte seront toujours présents, mais ils seront intégrés à notre réalité, et ils n'exerceront pas de contrôle sur notre comportement et notre niveau d'énergie. Nous recommencerons à vivre de nouveau.

Prêts à revivre, nous sommes tout à fait conscients que nous ne redeviendrons pas « ce que nous étions ». Quand nous subissons une perte importante, nous en sortons différents. Selon notre façon de réagir à cette perte, nous sommes plus forts ou plus faibles, spirituellement plus sains ou plus malades.

Si nous n'avons pas passé par toutes les étapes du deuil et demandé de l'aide quand nous en avions besoin, il est probable que certains combats intérieurs fassent encore rage en nous.

Ceux qui ont vécu sainement le deuil comprennent que, bien qu'ils aient éprouvé une grande perte, tout ne leur a pas été enlevé. Ils se rendent compte que, bien que la vie ne soit plus la même, il leur reste encore beaucoup de bonnes choses — de belles relations et l'infinie variété de la vie elle-même.

Avec le temps, les nuages noirs commencent
à se dissiper et, à l'occasion, des rayons de soleil
apparaissent brièvement à l'horizon.

Il existe encore nombre de sentiments douloureux que nous pourrions examiner. Les sentiments énumérés ci-après sont souvent enfouis très profondément en nous.

Prenez quelques minutes, lisez-les l'un après l'autre et laissez votre pensée et vos propres sentiments faire surface...

- la jalousie;
- la haine;
- les sautes d'humeur;
- la frustration;
- la mélancolie;
- l'inquiétude;
- la gêne;
- le découragement.

Engagez-vous personnellement à vouloir vous libérer de votre vieux bagage affectif, afin de pouvoir vous affranchir du comportement qui maintient ces sentiments dans un état d'engourdissement ou qui les empêche de faire surface.

Et avant tout, rappelez-vous que :

Les sentiments sont le dénominateur commun
de l'humanité.

Comprendre le langage des sentiments
est essentiel pour parvenir à la maîtrise de soi,
à l'indépendance et à la liberté.

4

Les ennemis
de l'estime de soi

Le cheminement vers la valorisation de soi commence de
la même façon pour tout le monde. Il s'agit de se demander honnêtement:

- Qu'est-ce que je ressens?
- Pourquoi est-ce que je me sens comme ça?
- Est-ce que j'ai déjà ressenti cela auparavant?
- Quel événement ou quelle personne est en lien avec
  ce sentiment?
- Qu'ai-je déjà fait pour corriger ce sentiment?
- Que puis-je faire pour corriger ce sentiment main-
  tenant?

Le moyen de parvenir à une plus grande estime de soi
est de prendre de plus en plus conscience de ses propres
sentiments et de les exprimer d'une façon directe et
appropriée. Vous êtes seul à connaître la personne —
l'enfant intérieur — qui est en vous. Votre objectif est de
libérer cet enfant. Pour atteindre ce but, vous devez être
rigoureusement honnête envers vous-même; vous devez

vous ouvrir au langage des sentiments — vos propres sentiments et ceux des autres.

Ainsi, vous deviendrez maître de tous les aspects de votre identité, de toutes les dimensions de votre personnalité unique. Vous serez alors en mesure de mettre fin à la fragmentation du moi étranger afin de devenir une personne entière et intégrée. Vous aurez la satisfaction de savoir exactement qui vous êtes. Dans ce processus de croissance et de prise de conscience, vous vous libérerez de l'excédent de bagage affectif et des problèmes non résolus, enfin libre d'un passé qui vous gênait. Vous serez capable de vous aimer vous-même sans explications, ou sans avoir à présenter des excuses. Vous parviendrez à un sentiment élevé d'estime personnelle, solidement enraciné dans la confiance en soi et dans la connaissance de soi.

Sur papier, cela semble évidemment très facile. Dans la réalité, le chemin vers l'estime de soi est souvent semé d'embûches.

Les principaux obstacles proviennent de notre propre comportement, de nos propres habitudes autoabrutissantes et de nos compulsions psychologiquement nocives. En endormant notre douleur affective, en l'esquivant ou en la fuyant, c'est la vie même que nous fuyons. Plutôt que d'avancer vers l'accomplissement personnel, nous nous embourbons dans un comportement hostile à la croissance.

L'ALCOOL, LA COCAÏNE ET LES AUTRES SUBSTANCES CHIMIQUES CRÉANT L'ACCOUTUMANCE

L'alcool et les autres substances chimiques qui modifient l'humeur servent d'exutoire par excellence pour les sentiments. On peut compter sur eux pour s'offrir un changement d'humeur prévisible. Bien des choses influent sur l'humeur: la température, le cinéma, l'église, la poésie, les nouvelles, les dessins animés, la pizza, *etc.* Mais rien ne modifie l'humeur aussi rapidement et aussi sûrement que l'alcool et les autres substances chimiques — qu'il s'agisse de médicaments sur ordonnance, comme les Valium, Tranzène et Librium, ou de drogues illicites, « pour le divertissement », comme la marijuana, les PCP, les amphétamines et la cocaïne. Il existe un marché énorme pour toutes les substances chimiques qui exercent un pouvoir sur l'humeur.

Dans notre culture, pour beaucoup (environ le tiers de la population), la consommation régulière d'alcool est une habitude culturelle fortement enracinée. Pour plusieurs, cette drogue « domestiquée » procure à peu de frais un changement d'humeur agréable et rassurant.

L'un des effets principalement apprécié est la sensation prévisible de chaleur et de détente. Ceux qui ne consomment de l'alcool qu'à l'occasion disposent d'autres moyens pour éprouver cette sensation de chaleur et de détente; pour eux, les changements d'humeur provoqués par l'alcool ne sont donc pas très importants.

Pourtant, pour un autre groupe de personnes (environ un individu sur sept), l'alcool est hautement apprécié parce qu'elles en tirent des merveilles. Ces personnes « aiment » la façon dont elles se sentent après avoir pris de l'alcool. De ce fait, la consommation d'alcool devient importante à leurs yeux parce qu'une « histoire d'amour » vient de commencer. Elles se sentent beaucoup mieux quand elles consomment de l'alcool.

Cette « histoire d'amour » est aussi présente dans le cas de la consommation de cocaïne, de psychotropes prescrits et de certaines autres drogues. Avec le temps, la sensation agréable que procure la consommation de ces substances chimiques devient de plus en plus importante pour la personne qui les consomme ; une dépendance est ainsi créée.

La liberté de choix cède la place à une extrême urgence de goûter encore et encore l'agréable récompense de la consommation. Les sensations naturelles et bonnes sont de moins en moins recherchées au fur et à mesure que se poursuit la quête des sensations prévisibles.

Dans sa brochure intitulée *The Romance : A Story of Chemical Dependency*, le docteur Joseph R. Cruse a décrit les principales conditions permettant le développement de la dépendance chimique : il doit y avoir un hôte prédisposé, un agent toxique et un environnement permissif. « Le mécanisme de base par lequel l'alcoolisme ou autre dépendance chimique se développe chez une personne prédisposée est inconnu », écrit le docteur Cruse. « Il n'en demeure pas moins qu'une forme de relation amoureuse se développe entre l'*agent* et l'*hôte* quand les substances chimiques naturelles dans le cerveau d'une personne prédisposée rencontrent certaines substances chimiques (les drogues telles que l'alcool) qui modifient l'humeur et le psychisme. Une histoire d'amour commencerait... »

Les personnes qui n'ont jamais appris comment se sentir bien et éprouver des sensations agréables de façon naturelle connaissent parfois, grâce aux substances chimiques, leurs premières sensations plaisantes. L'idée qu'il est possible de tirer des sensations agréables d'une chose qui est prévisible devient très attirante et très importante. La substance chimique devient de plus en plus importante pour le consommateur.

Puisque la liberté de choix diminue, la personne a de plus en plus souvent recours à l'alcool ou à la drogue, et ces épisodes de consommation entraînent avec eux des problèmes dans les relations avec les autres. Parfois la personne affiche un comportement qui est loin d'être souhaitable, parfois même carrément embarrassant et douloureux sur le plan émotionnel.

Comme ces épisodes se succèdent et que les problèmes dans les relations s'intensifient, des sentiments de remords, de tristesse, de colère et de peur font surface. Alors avec le temps, nous utilisons les substances chimiques non seulement pour procurer une sensation prévisible de plaisir, mais plutôt pour procurer un soulagement. Nous nous servons des substances chimiques pour calmer les sentiments douloureux maintenant provoqués par ces substances elles-mêmes. Comme vous pouvez le constater, un cercle vicieux s'est formé :

- on consomme pour se sentir bien ;

- on consomme de plus en plus pour se sentir bien, et cela entraîne des conséquences négatives ;

- on consomme pour se remettre des sentiments provoqués par les conséquences négatives, ce qui entraîne des conséquences encore plus négatives, *etc.*

La consommation commence à fouler aux pieds d'autres émotions qui sont constamment anesthésiées et retenues profondément à l'intérieur de soi. Le recours aux substances chimiques pour provoquer des changements d'humeur entraîne une stagnation de la vie affective naturelle, et nos sentiments sont progressivement étouffés. Avec le temps, les sensations de bien-être et d'euphorie ne sont plus aussi agréables qu'elles l'étaient, et les désagréments sont beaucoup plus importants. Le résultat final, c'est une vie affective chroniquement dépressive, où il devient « normal » de se sentir mal.

Dans mon ouvrage intitulé *Another Chance*, j'ai décrit en détail la spirale de l'accoutumance et l'érosion du potentiel personnel qui se produit pendant le processus de dépendance chimique. Aucun doute n'est possible en ce qui a trait à l'accoutumance. Dès qu'on est en présence de la combinaison favorable — hôte prédisposé, agent toxique et environnement permissif — l'accoutumance ou la dépendance physique envers la drogue se crée. Et avec elle, sans aucun doute, se produit également une érosion de la volonté et du potentiel émotif, physique, social et spirituel de la personne.

La plupart du temps, quand une personne a atteint ce stade de consommation habituelle, il lui est très difficile de cesser sa consommation sans obtenir une forme d'aide professionnelle. Heureusement, il existe plusieurs types de traitement et d'aide à l'intention des alcooliques et des toxicomanes chroniques. Les bons programmes de traitement reconnaissent la nécessité de guérir la vie affective du consommateur. Des programmes de traitement d'une durée de trente jours révèlent et libèrent la douleur émotive qui afflige l'individu depuis si longtemps, et lui donnent des outils pour apprendre à puiser dans ses propres ressources naturelles afin de ressentir du plaisir et de profiter de la vie le plus possible.

LES TROUBLES APPARENTÉS À L'ALIMENTATION

Les troubles apparentés à l'alimentation prennent diverses formes, allant de l'extrême obésité au gavage suivi de vomissement, et à l'anorexie. Pourquoi certaines personnes souffrent-elles de troubles apparentés à l'alimentation? L'obésité provient-elle de quelque conflit affectif non résolu dans le passé? D'où viennent l'anorexie et la boulimie — les gens (les femmes surtout) deviennent-ils anarchiques à cause de problèmes affectifs enracinés dans le passé?

Jusqu'à présent, nous n'avons pas trouvé de réponses définitives à l'origine des troubles apparentés à l'alimentation. Certaines formes d'obésité peuvent découler d'un dérèglement glandulaire. Plusieurs personnes prennent du poids parce qu'elles prennent certains médicaments.

Les troubles apparentés à l'alimentation peuvent provenir de conflits émotifs sous-jacents non résolus, ou peuvent être *intensifiés* par des confits émotifs véhiculés depuis l'enfance. Et, bien sûr, la réaction au stress du moment présent peut également jouer un rôle d'exacerbation des troubles apparentés à l'alimentation aussi bien que des autres dépendances.

Il est également clair que, dans plusieurs cas, les troubles apparentés à l'alimentation ont bien des choses en commun avec les autres formes d'accoutumance. Des recherches récentes ont démontré que, bien que le degré d'obésité dépende de facteurs liés à l'environnement, l'hérédité joue aussi un rôle important.

Comme pour les autres types de compulsions et d'accoutumances, les programmes les plus efficaces pour traiter les troubles apparentés à l'alimentation sont ceux qui se concentrent principalement sur des techniques de modification du comportement, alliées à la psychologie d'efforts personnels et au groupe d'entraide.

Quelle que soit l'origine des troubles apparentés à l'alimentation, pour plusieurs d'entre nous, quand des conflits passés ou présents créent un niveau intolérable de frustration et de tension intérieure, les aliments ont tendance à constituer une substance réconfortante qui soulage temporairement même nos angoisses.

D'une façon naturelle, la nourriture est toujours liée à des expériences interpersonnelles et émotives. Nos associations psychologiques avec la nourriture ont été établies à la naissance. Les odeurs et le goût particulier de certains aliments sont de puissants déclencheurs émotifs. Nous n'avons pas seulement le réflexe de saliver en prévision d'un repas, mais nous avons souvent des réactions émotives complexes. Nous « adorons » certains aliments (comme la crème glacée), et nous en « détestons » d'autres (comme les choux de Bruxelles) — pas seulement à cause du goût, mais à cause de ce que nous associons aux aliments. La crème glacée, par exemple, a toujours représenté une récompense ou une petite gâterie spéciale offerte dans une atmosphère de détente et de plaisir. Les légumes, d'un autre côté, sont souvent associés à un élément de contrainte. L'ordre « Mange tes légumes! » n'admettait pas de réplique. Les choux de Bruxelles n'avaient jamais rien d'amusant; rien que des obligations.

De la même façon, les biscuits et les desserts devenaient des récompenses classiques quand on était bien sage. On recevait des bonbons à des occasions spéciales: les fêtes de famille, Noël — toutes ces occasions spéciales véhiculent une charge émotive énorme. Trois complications principales affligent les personnes aux prises avec des troubles apparentés à l'alimentation:

1. l'altération du métabolisme causée par la présence excessive ou l'absence de gras;

2. l'utilisation de diurétiques, de pilules pour maigrir, de laxatifs, de moyens de se faire vomir, *etc.*, pour éliminer le gras;

3. l'engourdissement de la souffrance émotionnelle qui a pour conséquence la perte de contact de la personne avec son identité émotive.

L'OBÉSITÉ

L'obésité est généralement définie comme un poids de 30 pour cent supérieur au poids idéal du corps. La personne obèse a une prédisposition à souffrir d'hypertension, de problèmes de vésicule biliaire, de diabète, de maladies articulaires dégénératives, de risques opératoires accrus, de troubles de fonctionnement sexuel et de perturbations psychosociales.

De plus, l'obésité impose des limites importantes à l'éventail des activités personnelles, ce qui oblige souvent la personne à mener une vie relativement isolée et sédentaire. Les personnes qui sont grosses se fatiguent plus vite. Elles souffrent davantage de problèmes aux pieds, car ces derniers ne sont pas faits pour supporter un tel excès de poids. Lorsqu'une personne est grosse, ses jambes frottent l'une contre l'autre quand elle marche, et elle a de la difficulté à s'asseoir et à se relever, qu'il s'agisse d'une chaise, d'une voiture, d'un fauteuil au théâtre, de transports en commun, d'avions, *etc.* Comme il est risqué de faire de la bicyclette ou de l'aviron, elle recherche ailleurs la détente et le confort — souvent chez elle, devant le téléviseur, une collation à portée de la main.

La nourriture est une grande consolatrice. Un désir de consolation par la nourriture peut surgir n'importe quand, mais certaines occasions peuvent nous rendre plus vulnérables, par exemple lorsque nous nous sentons seuls, fatigués ou de mauvaise humeur. Les soirées solitaires sont des moments par excellence pour subir des attaques de consolation par la nourriture. Quand vous êtes avec quelqu'un, sa compagnie vous nourrit. Mais lorsque vous êtes seul, une odeur ou la vue de quelque chose en particulier peut constituer un doux souvenir d'amour et de sécurité. La nourriture a le don de nous mettre en contact avec le souvenir de gens, d'endroits et d'événements. Quand on vit des moments pénibles ou difficiles, il est logique de recréer des plats qui nous ont rendus heureux dans notre enfance.

Chacun a des aliments préférés, qui lui procurent un réconfort:

- le rôti de bœuf avec des pommes de terre en purée et de la sauce;

- les steaks grillés par une belle soirée d'été;

- le chocolat sous toutes ses formes;

- la crème glacée;

- le maïs soufflé;

- les hot dogs.

Remarquez comment les souvenirs et les émotions sont suscités instantanément. La texture des aliments provoque certaines sensations. Les aliments crémeux nous apaisent, parce qu'on peut les avaler facilement et qu'ils ne demandent pas l'effort d'être mastiqués. D'autres aliments, qui sont croquants, comme le maïs soufflé et les arachides, nous aident à nous défouler par l'effort que nous faisons pour aller jusqu'au fond du sac.

Des recherches cliniques ont démontré que les sucreries et les féculents ont un effet apaisant sur le cerveau, car ils augmentent le niveau de sérotonine, une substance chimique cérébrale qui exerce une fonction d'apaisement naturelle.

Alors, quand vous plongez dans une assiette de nouilles lisses et soyeuses (la tranquillité dans un bol), ou dans une portion de crème glacée tout aussi apaisante, vous vous administrez un médicament contre le stress.

L'ANOREXIE

L'anorexie mentale est également appelée «maladie de la faim». C'est une maladie mystérieuse, dont souffrent fréquemment des jeunes femmes qui brillent dans tout ce qu'elles entreprennent et qui sont très performantes. Bien qu'on ne connaisse pas les causes de cette maladie, les anorexiques sont particulièrement susceptibles d'être issus de familles présentant les caractéristiques suivantes :

1. Peu de communication au sein de la famille : manque de liberté apparent dans l'expression des sentiments. Seuls les bons sentiments sont acceptés.

2. Grande importance accordée à l'apparence physique : d'habitude la famille parle constamment de taille, de forme physique et d'apparence.

3. Membres de la famille estimés avant tout pour leurs réalisations : très souvent on exige clairement que l'enfant réussisse bien dans tous les domaines de sa vie.

4. Problèmes d'alcoolisme dans la famille : la norme consiste à éviter les sentiments. L'alcoolisme et la dépression sont des manifestations fréquentes.

L'anorexique est capable de provoquer des changements d'humeur ou d'émotion en contrôlant son corps. Très peu de sentiments sont exprimés dans la famille d'une personne anorexique, et le changement d'humeur qui provient de l'aptitude et du plaisir à contrôler son propre corps permet au moins d'éprouver une forme d'« euphorie ».

Les personnes anorexiques se classent en différentes catégories. Il y a celles qui limitent rigoureusement leur consommation de nourriture jusqu'à ce que leur poids soit nettement inférieur à leur poids normal. Il y a les boulimiques anorexiques, qui, pour leur part, jeûnent pendant un certain temps, puis se gavent à l'excès et se font vomir. Les personnes boulimiques semblent plus impulsives, plus désespérées et souvent plus suicidaires.

Toutes ces personnes, qu'elles soient obèses, anorexiques ou boulimiques, utilisent la nourriture ou le manque de nourriture comme moyen d'adoucir ou d'encourager un sentiment de vivre.

Nous ne devons pas oublier non plus qu'aucune théorie ne peut rendre compte de tous les types de troubles apparentés à l'alimentation. Par exemple, il peut être tentant d'affirmer sans équivoque que des conflits affectifs non résolus sont à la base de tous les troubles apparentés à l'alimentation, mais les plus récentes recherches démontrent que ces troubles alimentaires, tout comme l'alcoolisme et les autres dépendances, sont influencés par des facteurs génétiques. L'obésité, par exemple, comporte une dimension génétique considérable, mais le degré d'obésité dépend tout de même de facteurs liés à l'environnement, parmi lesquels on peut retrouver des conflits émotifs ou de même nature. De même, de plus en plus de recherches indiquent que la boulimie et l'anorexie ont une origine biologique, avec des composantes émotives et psychologiques.

Que nous soyons au courant ou non de tout ce que nous devons savoir pour traiter ces maladies, une chose est certaine: les compulsions qui poussent à manger ou à ne pas manger doivent cesser avant qu'un processus de guérison sur le plan affectif ne puisse être entrepris.

La première étape pour corriger des troubles apparentés à l'alimentation est de faire un effort pour essayer de les corriger. Pour les personnes obèses, le programme des Outremangeurs Anonymes est l'un des meilleurs pour perdre du poids et ne pas reprendre les kilos perdus. Pour les anorexiques et les boulimiques, il existe certains programmes de codépendance qui se spécialisent dans ces formes de troubles de l'alimentation.

Les programmes les plus efficaces pour traiter les troubles apparentés à l'alimentation sont ceux qui visent d'abord à aider l'individu à apaiser les souffrances de son passé tout en ayant recours à des techniques de modification du comportement, alliées à la psychologie d'efforts personnels et au groupe d'entraide.

La combinaison des techniques est fondamentale parce que l'expérience a démontré que les efforts de résolution des conflits émotifs seuls n'ont pas donné beaucoup de résultats pour soigner directement le problème de compulsion.

L'exemple classique est bien entendu l'accoutumance chimique, qui a une charge génétique très forte. Au cours des dernières années, une bataille importante a été menée pour faire reconnaître la dépendance chimique comme une maladie en soi, plutôt que comme le symptôme d'un conflit émotif sous-jacent, non résolu. Aucun thérapeute compétent ne tenterait aujourd'hui de traiter l'alcoolisme tant que le patient continue à boire. L'abstinence est considérée comme un préalable à la thérapie — non un sous-produit de celle-ci.

S'il n'y a aucun programme de traitement dans votre région et si vous ne pouvez pas changer de région, consultez un médecin de famille et soyez le plus honnête possible en ce qui a trait à vos habitudes alimentaires et à la situation que vous vivez actuellement. Cherchez la

meilleure aide que vous puissiez obtenir. Vous le méritez
grandement.

LE TABAGISME

Le tabagisme est devenu un problème qui cause énormément de ravages. L'intoxication par le tabac et la nicotine détruit lentement et subtilement les émotions et les
êtres humains. Il est rare qu'un divorce, une arrestation,
une perte d'emploi, un accident de voiture ou une gueule
de bois puisse être spécifiquement relié à la cigarette.
Toutefois, la cigarette tue doucement, presque de façon
amicale. Elle détruit la vie affective, puis très souvent la
vie même du fumeur.

Nous connaissons tous les conséquences physiques
destructrices qu'entraîne la consommation de cigarettes.
Les maladies pulmonaires, l'emphysème, le cancer, les
maladies cardiaques, les embolies, *etc.,* sont tous reliés à
la consommation de tabac. Nous savons également que les
fumeurs ont considérablement plus de risques de mettre
au monde des enfants présentant des déficiences, et particulièrement d'avoir des enfants mort-nés ou qui meurent
subitement de façon inexpliquée.

Ce dont nous ne sommes pas aussi conscients, cependant, c'est que la nicotine et la fumée sont des médicaments efficaces contre les sentiments et les émotions. La
preuve des vertus médicinales de la cigarette, c'est le
retour d'une anxiété débridée dès que le fumeur essaie
d'arrêter de fumer. Avec le temps, les sentiments naturels
qui ont fait surface et revendiquent d'être exprimés ont
été anesthésiés par la fumée. Finalement, tous les liens
qui nous rattachaient à ces sentiments peuvent avoir été
oubliés. La personne se sent simplement engourdie ou
vide quant à plusieurs expériences émotives et à plusieurs souvenirs.

Lorsqu'une personne essaie de cesser de fumer, toute l'anxiété enfouie du passé refait surface. L'anxiété, c'est simplement des « sentiments indifférenciés ».

Pour parvenir pleinement à retrouver l'estime de soi, il sera nécessaire de cesser de fumer et de laisser les anciens sentiments faire surface. Grâce à l'exploration des anxiétés et des sentiments du passé, il deviendra possible de retrouver la part de votre identité depuis si longtemps anesthésiée par la fumée de cigarette. Ce ne sera pas facile d'abandonner la cigarette. Elle est devenue une amie — mais cette amie a des épines.

Pour bien des gens, cesser de fumer peut se faire à peu près sans douleur. C'est surtout facile pour les gens qui peuvent se dire franchement: « Fumer n'est pas une grosse affaire, pas plus que de cesser de fumer, d'ailleurs. » Ils arrêtent et c'est tout.

D'autres peuvent avoir besoin d'aide, et plusieurs types d'aide existent dans ce domaine. Un programme de traitement centré sur la codépendance peut aider l'individu à résoudre les émotions qui entourent l'abandon de la cigarette. Il existe aussi sûrement dans votre région d'autres groupes de traitement spécifique auxquels vous pouvez avoir recours.

Fumer constitue un obstacle à l'intimité et au développement personnel. L'estime de soi est dérobée au fumeur. Fumer sert de couverture de sécurité, ou d'isolant, contre le monde de l'incertitude et de la souffrance psychique. En ayant recours à la cigarette dans les moments de stress, les gens ont moins de chances de trouver la force en eux-mêmes. En un sens, plusieurs personnes s'accrochent au tabac comme à une béquille.

Les béquilles sont des objets intéressants. Quand on se casse une jambe, les béquilles sont très utiles. Mais une fois que la jambe est guérie, nous mettons les béquilles au rancart pour aider notre jambe à retrouver ses fonctions normales. Autrement, les muscles de la jambe vont s'affaisser à force de ne pas servir. Ils deviendront alors tellement faibles et atrophiés qu'ils seront à jamais inutilisables et que nous aurons toujours besoin des béquilles.

Dans le cas du fumeur, ce sont les muscles émotifs qui en viennent à s'atrophier. Pour une raison ou pour une autre, le fumeur a décidé de s'en remettre à la cigarette pour résoudre ses malaises émotifs. Et ça fonctionne pendant un certain temps. Toutefois, plus la béquille est utilisée longtemps, plus le muscle émotif se détériore, et plus la réaction naturelle devient fragile. Peu à peu, la personne devient émotivement dépendante de la cigarette pour soulager la tension émotive.

Il faut passer par trois étapes principales pour cesser de fumer.

1. Il est absolument nécessaire de prendre la décision d'arrêter de fumer et d'accepter d'avance tous les malaises que cela peut comporter. À ce stade, on décide de mettre en place toutes les circonstances favorables à la réalisation de cette décision. Cela signifie, par exemple, se joindre à un groupe d'aide, suivre un programme de traitement formel ou avoir recours à un autre type de thérapie.

2. La phase physique consiste, pour le fumeur, à faire face directement aux malaises qu'implique le sevrage de la nicotine. Certains arrêtent du jour au lendemain, et d'autres cessent progressivement. Cela peut être inconfortable, mais c'est une tension dont on peut venir à bout. Si l'on fait partie d'un groupe d'aide ou si l'on suit un programme de traitement, cette tension est grandement soulagée par le fait de pouvoir discuter de tous les sentiments qui commencent à faire surface. C'est le moment de faire très attention à vous, et de demander toute l'aide et le support dont vous avez besoin.

3. L'étape finale est le moment du deuil. Reportez-vous à ce que nous avons déjà dit au sujet du pro-

cessus de deuil. Abandonner une habitude si intime comporte un processus de deuil. On a l'impression d'avoir perdu un compagnon, une identité et un ami. C'est une question de temps. Quelqu'un a déjà dit que « le fumeur fait l'amour avec la mort ». Ne l'oubliez pas.

Rompre la chaîne...

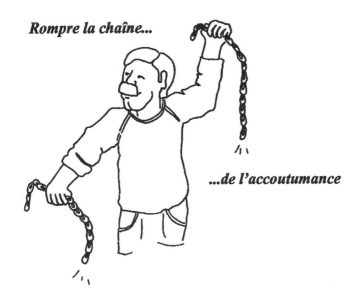

...de l'accoutumance

INAPTITUDE / ACHARNEMENT
AU TRAVAIL

Inadapté — Insuffisant
   Pas assez
   Moins que
   Inégal

Cela vous dit quelque chose? Oui, bien sûr. Où est l'être si sûr de lui et si confiant (victime de ses illusions et arrogant?) qu'il n'a jamais ressenti l'angoisse de l'inaptitude? Même Superman devient une poule mouillée complètement impuissante en présence de Kryptonite!

Les sentiments d'inaptitude peuvent fréquemment nous pousser à adopter un comportement autodestructeur. Même si nous avons accompli de grandes choses, plusieurs d'entre nous se sentent forcés d'en faire plus et encore plus, comme s'ils cherchaient à obtenir l'approbation d'un juge mystérieux prêt à leur dire : « C'est bien, tu en as fait assez. »

Dans les familles où l'approbation et les félicitations étaient accordées à la suite d'un travail accompli, d'une belle performance, de tâches réalisées, il était très facile et tout naturel pour un enfant de commencer à établir une équation entre sa valeur et ses réalisations. Cependant, l'estime de soi ne grandit pas en proportion des tâches accomplies. Elle se développe à mesure que nous apprenons qui nous sommes et ce que nous sommes, et que nous suivons le chemin de l'amour et de l'acceptation de soi.

Il semble souvent que nos réalisations aient un effet paradoxal : elles nous imposent encore plus d'obligations, plus de responsabilités, plus de tâches à accomplir. Et il y a des moments où nous sommes tellement absorbés *par ce que nous faisons* — par l'accomplissement de nos tâches — que nous oublions d'être attentifs à tous nos autres besoins et aux autres parties de nous-mêmes. Nous nous négligeons, de même que nous négligeons les gens qui nous entourent, et nous oublions d'être à l'écoute de nous et de nos besoins.

Simon, par exemple, a commencé un jour à se rendre compte que quelque chose n'allait vraiment pas dans sa vie. Il était considéré, depuis des années, comme un bon travailleur — quelqu'un qui donnait toujours 150 pour cent de lui-même. Il a étudié sans aucun répit et a obtenu son M.B.A. (maîtrise en gestion) en cinq ans. Lors de son premier emploi, il a travaillé pendant deux ans sans prendre de vacances.

Au cours des cinq dernières années, sa femme a réussi à lui faire prendre quelques jours de congé de temps en temps. Mais lorsqu'il prend congé, Simon apporte toujours avec lui une serviette remplie de documents et, tout comme un alcoolique boit en cachette, Simon travaille en cachette pendant ses moments de loisir.

Le travail de Simon est terriblement important pour lui, mais sa femme l'est aussi. Alors, elle lui a laissé entendre qu'elle se sentait négligée. Simon se trouve donc devant un dilemme: s'il consacre moins de temps à son travail, il se sent anxieux et si sa femme est malheureuse, il devient anxieux.

En essayant de tout contrôler rigoureusement, Simon a l'impression de reculer davantage. Il est souvent trop fatigué pour faire l'amour et, quand il prend le temps de le faire, il agit comme s'il avait une affaire à traiter. Par conséquent, les relations sexuelles qu'il a avec sa femme sont brèves, superficielles et tristes. En fait, leur mariage se caractérise par un manque de véritable intimité. Simon n'est pas seulement un étranger pour sa femme, mais il est un étranger pour lui-même.

Tout comme Simon, nous perdons souvent le sens de notre valeur personnelle avec les vies actives et stressantes que nous nous créons.

L'activité frénétique (l'exercice, le sport, les réunions, les cours, le travail, d'autres réunions) draine notre énergie, ce qui entraîne l'épuisement physique et l'engourdissement émotif. L'activité est, bien sûr, essentielle à la santé et à la détente. Pourtant, la personne qui est active d'une façon compulsive et obsessionnelle se sert de l'activité pour engourdir ses sentiments.

Le travailleur acharné peut apporter une contribution inestimable à la communauté — un bon travailleur, un bénévole dévoué, une personne qui réussit à mener des projets à terme. Et la société encourage le travailleur acharné en conséquence:

- Se dévouer signifie travailler fort et se sacrifier.
- Le monde appartient à ceux qui travaillent fort.
- Il faut avancer dans ce monde.

Outre l'acharnement au travail, il existe d'autres types d'activités compulsives:

La ménagère acharnée

Tout est centré sur la maison. Les repas, la décoration, les améliorations, les réparations, les changements, le terrain. Les fins de semaine sont consacrées à une variété infinie de « corvées domestiques ».

Le parent acharné

La vie est centrée sur les enfants. Tout ce qui se passe dans la famille est centré sur les activités des enfants. Les congés, les vacances, le budget, l'éducation reposent tous sur les besoins des enfants.

Le sportif acharné

N'importe quel sport! Le golf, le tennis, le football. La vie en compagnie d'un maniaque du sport (actif ou passif) est très solitaire. La préoccupation pour le sport nuit aux relations avec les autres et à l'estime de soi d'autres personnes importantes.

Le professionnel acharné

C'est la personne qui considère en quelque sorte que sa « profession » et son « emploi spécifique » sont ce qu'il y a de plus important au monde. Elle sacrifie son temps, son énergie et ses relations juste pour maintenir au premier plan son travail, ses contacts et ses intérêts.

L'acharnement au travail comporte plusieurs visages, mais certaines caractéristiques sont communes à *toutes* les formes d'acharnement. Les travailleurs acharnés ont des visages qui :

• paraissent fatigués (cernes autour des yeux) ;

• paraissent souvent tristes (après tout, ils vivent beaucoup de solitude dans leurs relations). Il existe deux sortes de solitude : l'une consiste en l'absence de proximité physique et l'autre, à avoir près de soi quelqu'un que l'on aime et dont on se soucie, mais de le sentir émotivement distant à cause de ses préoccupations à soi. Les deux types de solitude sont fréquents chez les bourreaux de travail.

Voici quelques autres indices d'acharnement au travail :

1. Travailler tard.

2. Travailler chez soi.

3. Travailler pendant les fins de semaine.

4. Transporter constamment une serviette ou un livre à lire.

5. S'absenter rarement parce qu'on est malade ou qu'on a besoin de repos.

6. Ne pas prendre de vacances ou les écourter.

7. Être toujours occupé.

8. Manger vite.

9. Avoir de la difficulté à déléguer.

10. Se sentir obligé de donner suite à toutes les idées créatrices.

Malheureusement, il n'y a pas nécessairement de lien entre travailler fort et réaliser beaucoup. Une étude a récemment démontré que les informaticiens qui apportaient du travail à faire chez eux, sur leur ordinateur personnel, étaient moins productifs que ceux qui ne le faisaient pas.

N'importe quel expert en rendement vous dira que du travail inutile est effectué chaque jour dans la plupart des emplois. Nous nous activons juste pour avoir l'air occupé. On s'occupe au travail. En fait, nous avons trop souvent tendance à penser beaucoup plus à la somme de travail que nous accomplissons qu'à sa *qualité*.

Notre culture met malheureusement très souvent l'accent sur la nécessité d'être occupé. Les employeurs DÉTESTENT que des employés soient inoccupés. Si vous travaillez dans un restaurant et qu'il y a un moment creux, alors il vaut mieux nettoyer les comptoirs que de rester sans rien faire — même s'ils l'ont déjà été à plusieurs reprises au cours de la journée. Si vous faites votre service militaire — surtout pendant l'entraînement de base — et s'il y a des moments libres, il est préférable d'avoir l'air occupé, sinon le sergent croira que vous êtes un bon à rien et vous vous retrouverez à la corvée d'épluchage de pommes de terre ou au nettoyage des latrines. Au collège, certains « professeurs » accordaient une récompense à la quantité plutôt qu'à la qualité du travail accompli. Bien des étudiants ont vite su qu'il était plus rentable d'effectuer beaucoup de travail, plutôt que d'en faire peu, mais de haute qualité. Bref, dans bien des emplois et des professions, le semblant de travail est autant récompensé que le travail lui-même, et l'activité inutile représente un moyen d'éviter d'être puni.

Pourquoi le bourreau de travail continue-t-il à en faire plus, toujours plus ?

Parce que c'est rentable — voir ci-dessus — et aussi pour...

1. engourdir ses émotions;

2. masquer ses insécurités (le travail peut donner l'air d'être important);

3. mériter la reconnaissance et l'estime des autres (pour combler un manque d'amour);

4. être remarqué et aimé;

5. pallier son incapacité de tirer du plaisir de ses moments de loisir.

Comme ce serait merveilleux si quelqu'un nous disait : « Vous avez fait du bon travail. Maintenant, prenez tout le temps qu'il faut pour vous faire plaisir. Prenez le temps de jouer, de vous amuser, de vous détendre. Vous réussirez quand même à faire ce que vous désirez accomplir. »

Bien sûr, il serait surprenant d'entendre quelqu'un nous tenir de tels propos, mais rien ne nous empêche de le faire pour nous-mêmes, et d'y croire vraiment. Quand nous nous engageons à rattraper le temps perdu envers la personne à l'intérieur de chacun de nous (notre enfant intérieur), laquelle a manqué une partie des plaisirs et des sensations de l'enfance, nous nous engageons également à replacer le travail dans une saine perspective.

Les solutions de rechange à l'activité compulsive

- écouter de la musique;
- aller faire une promenade;
- nager;
- danser;
- lire un roman;
- écouter le bruissement des feuilles dans les arbres;
- écrire une lettre;
- prendre un bain;
- parler avec un ami;
- jouer avec vos enfants;
- échanger des confidences avec une personne que vous aimez;
- regarder brûler une bougie;

- prier;
- faire l'amour;
- faire cuire du pain;
- construire une cabane d'oiseaux;
- regarder de vieilles photographies;
- organiser une soirée;
- aller voir un film avec votre conjoint, manger du maïs soufflé et vous tenir la main;
- jouer d'un instrument de musique;
- chanter;
- écrire des pensées qui vous semblent importantes;
- visiter une nouvelle ville;
- observer les gens;
- vous présenter à trois personnes;
- appeler un vieil ami;
- jardiner ou rempoter des plantes d'intérieur;
- faire des cadeaux et les offrir au cours de l'année.

RELATIONS DÉPENDANTES

La forme de dépendance la plus difficile à vivre et surtout à laquelle il est le plus difficile de faire face est probablement la « dépendance envers une autre personne ». Dans notre culture, les gens sont reliés les uns aux autres, et il arrive très souvent que certains ne connaissent jamais le bien-être et le confort d'être une personne complète et indépendante. Trop souvent l'enfant passe de son état d'enfant à une situation de fréquentation précoce, puis au mariage et à la vie de parent, sans jamais se développer complètement en tant qu'individu, sans jamais avoir la chance d'exploiter son potentiel personnel ni d'explorer d'autres aspects du monde. Même s'il n'y a pas officiellement de contrat de mariage, les gens ont tendance à s'engager dans des relations exclusives, ce qui les empêche tout de même de reconnaître leur personnalité dans son entièreté.

Les fréquentations multiples et le mariage sont des relations très spéciales, et j'aborderai un peu plus loin l'intimité et l'engagement (un des plus grands sentiments de plénitude). Pour le moment, je parle de relations de dépendance malsaines. Ce type de relations est basé davantage sur le besoin que sur le partage. Les personnes qui vivent des relations de dépendance sont généralement issues de familles où l'on nourrissait des sentiments d'impuissance plutôt que des sentiments de confiance en soi, ce qui les a rendues vulnérables à l'établissement de relations de dépendance.

Quand une personne va vers une autre dans le but de combler le vide qu'elle ressent en elle, la relation devient rapidement le centre de sa vie. Elle lui procure un confort rassurant et prévisible, et la personne revient toujours à la relation pour prendre sa dose. L'expérience se répète de plus en plus souvent, et la dépendance s'installe. Avec le temps, l'idée de la séparation ou du repli sur soi suscite beaucoup d'anxiété, de peur, de tension.

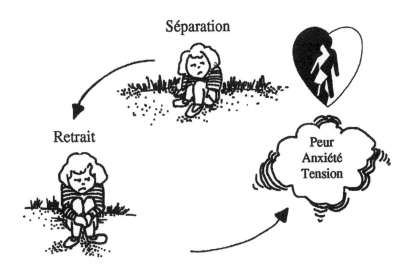

Séparation

Retrait

Peur
Anxiété
Tension

La personne dépourvue d'estime de soi cherche à utiliser la valeur de quelqu'un d'autre pour combler ce manque. Elle puise dans la valeur de son partenaire à un point tel que ce dernier en vient souvent à se sentir vide à l'intérieur, et il se tourne à son tour vers quelqu'un ou vers quelque chose pour combler ce vide. L'alcool, le travail, la nourriture, les aventures, le pouvoir ont tous pour fonction de combler les vides intérieurs. Certains tentent de satisfaire tous leurs besoins avec un seul partenaire, tandis que d'autres passent d'un partenaire à l'autre pour tenter de réussir l'impossible, c'est-à-dire trouver leur estime de soi chez quelqu'un d'autre. L'estime de soi ne pouvant venir que de soi-même, vous rendez-vous compte de l'impossibilité que cela représente?

L'estime de soi
ne peut venir que de soi-même.

Les amoureux dépendants se voient de plus en plus souvent dans le but de maintenir la sécurité qu'ils trouvent chez l'autre. Quand ils sont séparés, ils désirent la présence de l'autre. Même s'ils se querellent et s'ils ne s'entendent pas bien, ils ont besoin de la sécurité de la relation. Que l'un des partenaires fasse des projets de séparation, ou qu'il réponde à certains besoins en dehors du couple, cela constitue une menace qui entraîne des conflits importants dans la relation. C'est lorsque la relation prend fin qu'on se rend compte de l'ampleur de la dépendance. Comme la relation a servi à masquer le peu d'estime de soi, sa fin provoque désorientation et angoisse. Souvent on manifeste beaucoup de colère. L'engagement a été tellement entier que la fin de la relation met au jour l'exploitation qui s'est produite pendant tout le temps que le couple a passé ensemble.

Ce type de dépendance n'est pas limité aux « relations amoureuses ». C'est également vrai pour des amis. Des relations de dépendance peuvent se développer n'importe quand entre deux personnes qui cherchent la valorisation de soi à l'extérieur d'elles-mêmes. Plus elles peuvent puiser d'estime de soi chez un ami, plus elles sont dépendantes de lui. Plus leur estime de soi est faible, plus elles ont besoin d'amis pour puiser une quantité valable d'estime personnelle. Cela n'a rien à voir avec le merveilleux partage qui se vit entre deux amis qui ont une haute estime d'eux-mêmes. Le partage et la dépendance sont deux choses très différentes.

Indices de dépendance envers un amoureux ou des amis:

1. être à l'origine de la plupart des appels téléphoniques;

2. organiser la plupart des rencontres;

3. vouloir plus souvent que l'autre parler de la relation ou de l'amitié;

4. ressentir de l'anxiété quand l'autre ou les autres ne sont pas là;

5. ressentir un malaise pendant les moments de séparation;

6. être inquiet ou malheureux quand l'autre semble parfaitement à l'aise et heureux sans vous;

7. vouloir savoir tout ce que l'autre fait, pense et ressent;

8. s'imposer une responsabilité démesurée dans la relation;

9. croire que les désirs et les besoins de l'autre sont plus importants que les vôtres;

10. avoir l'impression que vous serez incapable de vous en sortir seul si vous mettez fin à la relation ou à l'amitié.

C'est en nous développant sainement que nous trouvons l'estime de soi qui nous permet ensuite de choisir d'être en relation avec des gens qui ressentent la même haute estime d'eux-mêmes et qui peuvent partager cette estime, plutôt que se servir les uns des autres. Une haute estime personnelle est nécessaire pour pouvoir établir une relation saine avec quelqu'un d'autre.

Je m'aime!
Je t'aime!
Je nous aime !

---

*Une haute estime de soi est nécessaire
pour pouvoir établir une relation ou une amitié saine.*

5

Les étapes vers une plus haute estime de soi

« Je veux me connaître et faire attention à moi. Je veux ressentir une grande énergie et un sentiment de liberté. » C'est ainsi que je résume l'essence de la haute estime de soi. Une haute estime de soi signifie également pouvoir :

- faire des choix qui ont une influence sur ma façon de vivre. Je ne suis pas un être impuissant qui se laisse dériver passivement à la merci des vents du hasard et des courants du destin. Je peux faire des choix et déterminer activement ma propre existence.

- profiter de mon propre corps. Je suis un être multidimensionnel — intellectuel, spirituel et physique — et je peux trouver du plaisir dans mon corps aussi bien que dans mon esprit et dans mon âme.

- reconnaître et accepter que ce que je ressens envers moi-même affecte mes relations avec les autres. Quand j'éprouve des sentiments positifs à mon égard, je suis capable de construire et d'entretenir avec les autres des relations positives et stimulantes, et je peux communiquer avec eux d'une façon significative et satisfaisante.

- finalement, je sais qu'en augmentant mon estime de moi j'éprouverai plus de sentiments d'intégrité, d'honnêteté, de compassion, d'énergie et d'amour. Et je suis capable d'éprouver vraiment du plaisir dans ma vie.

Tous les types de croissance reposent sur un climat favorable, une attention au bien-être et au contentement, et un environnement non hostile. Tout comme des conditions difficiles peuvent ralentir la croissance d'un magnifique séquoia, le climat de nos vies — les soins et les relations — peut ralentir la croissance de notre estime personnelle. Pour poursuivre ce chapitre sur la façon d'augmenter son estime de soi, il est nécessaire de retenir un facteur indispensable.

IL N'EN TIENT QU'À VOUS DE VOUS ENTOURER
DE GENS QUI VOUS APPUIERONT DANS VOTRE DÉMARCHE.

Il est impossible d'augmenter votre estime de soi tout en vivant avec des gens négatifs qui ne vous trouvent pas estimable. Il est impossible au moi de se développer dans une atmosphère hostile où il y a peu ou pas de reconnaissance ou d'appréciation. Les sentiments d'estime ne peuvent s'épanouir que dans un climat où les différences individuelles sont reconnues, où les erreurs sont tolérées, où le partage et la communication sont possibles, et où les règles et les attentes sont flexibles.

Ce qui est merveilleux, c'est qu'il y a toujours
de l'espoir et des possibilités,
parce que vous pouvez apprendre à faire
de nouveaux choix qui peuvent changer
votre vie et la renouveler.

Dans les prochains chapitres, je parlerai de quelques-uns des idéaux que nous portons en soi et des moyens pour les atteindre.

Chaque étape vers la réalisation de soi nous donne une impulsion supplémentaire et élève encore un peu plus notre estime personnelle. Préparez-vous à prendre bien soin de vous. *Vous le méritez grandement.*

Au cas où vous douteriez que vous méritez *vraiment* toutes les bonnes choses que comportent la réalisation de soi et la croissance personnelle, réfléchissez à la méditation suivante sur MOI.

MOI

Je suis le seul « moi » que j'ai. Je suis unique. Mon moi comporte deux parties principales. Le « moi » intérieur et le « moi » extérieur.

Le moi extérieur est ce que vous voyez. Ma façon d'agir, l'image que je projette, l'apparence que j'ai et les choses que je fais. Le moi extérieur est très important. C'est mon messager vers le monde, et une grande part de mon moi extérieur est en communication avec vous. J'accorde de la valeur à ce que j'ai accompli, à mon image extérieure, et à ce que je partage avec vous. Le « moi » intérieur connaît tous mes sentiments, mes idées secrètes, et mes nombreux rêves et espoirs. Parfois je vous laisse entrevoir une petite partie de mon « moi » intérieur, et parfois une partie très secrète de moi-même.

Même s'il y a beaucoup de personnes dans ce monde, aucune n'est exactement comme « moi ». Je suis entièrement responsable de « moi », et plus j'apprends de choses à mon sujet, plus je prendrai de responsabilités. Vous comprenez, mon « moi » est ma responsabilité. Plus j'apprends à me connaître, plus je me rends compte que je suis quelqu'un de bien. J'ai fait de bonnes choses dans la vie parce que je suis une bonne personne. J'ai accompli des choses valables dans la vie parce que je suis une personne compétente. Je connais des personnes spéciales, parce que je vaux la peine d'être connue. Je suis fière de tout ce que j'ai accompli pour moi.

J'ai aussi fait quelques erreurs. Je peux en tirer des leçons. J'ai également connu des personnes qui ne m'estimaient pas. Je n'ai pas besoin d'elles dans ma vie. J'ai perdu un temps précieux. Je peux faire de nouveaux choix maintenant. Tant que je peux voir, entendre, sentir, penser, changer, grandir et agir, j'ai de nombreuses possibilités. Je vais prendre ces risques et saisir ces possibilités. Je vais grandir, aimer, être et me réjouir. Je le mérite.

Je le mérite!

Il est fondamental de garder ceci à l'esprit: toutes ces possibilités, les innombrables possibilités de réalisation de soi, comportent certains éléments de risque. Examinons de plus près ce que j'entends par risques inhérents à la croissance.

LE RISQUE

Il est ici question de prendre des risques. Si vous voulez vraiment améliorer votre vie, vous devrez prendre des risques. Vous allez devoir sortir de votre coquille, rencontrer de nouvelles personnes, explorer des idées nouvelles et emprunter des sentiers qui ne vous sont pas familiers. En quelque sorte, les risques de croissance personnelle impliquent d'aller vers l'inconnu, dans un pays étranger où le langage et les coutumes sont différents, et où vous devez apprendre à vous retrouver.

La sécurité totale est le plus souvent une superstition. Elle n'existe pas dans la nature, et l'être humain dans son ensemble ne la connaît pas. Éviter le danger n'est pas plus sûr à long terme que de s'y exposer carrément. La vie est une aventure audacieuse, ou elle n'est rien.

Helen Keller

Quand nous sommes prêts à grandir, nous sommes prêts à renoncer à notre façon habituelle de nous voir nous-mêmes, ce qui est risqué. Après tout, notre bonne vieille identité — peu importe qu'elle soit complexée ou indigne — est la seule notion d'identité que nous connaissons. Que se passe-t-il si nous perdons notre vieille identité et que *rien* ne la remplace? Que se passe-t-il si nous annihilons l'essence même de notre être — notre identité?

En prenant des risques, en choisissant la route de la croissance, nous commençons à prendre de nouvelles « photographies » de nous, ne serait-ce que dans notre imagination. Nous décidons que nous sommes prêts à laisser tomber les fausses croyances, les compromis, les relations, les placements non rentables (travail, argent, énergie, engagements volontaires, *etc.*), les attachements superficiels et les habitudes autodestructrices. Il peut être

difficile de renoncer à ces habitudes profondément enraci-
nées dans nos vies, mais c'est absolument nécessaire.

La loyauté consiste souvent à croire que la sécurité
réside dans l'appartenance à des groupes et à espérer que
la sécurité va nous apporter du réconfort. *Toutefois, il est
parfois nécessaire de quitter une institution, une profession ou un groupe pour découvrir sa valeur individuelle et
trouver le réconfort intérieur.*

Nous avons pu, par le passé, consacrer de l'énergie et
des ressources à des amitiés qui ne se sont jamais épa-
nouies. Il est temps d'y renoncer et de passer à autre
chose. S'accrocher à de faux espoirs nous empêche de
grandir. Tout risque comporte une part de perte, quelque
chose qui doit partir pour que nous puissions avancer.
Accepter la perte fait partie de notre développement.

Certaines personnes entretiennent des relations parce
qu'elles semblent leur apporter la sécurité. D'autres
acceptent des emplois qui n'offrent aucun débouché et les
gardent parce qu'elles ont peur des responsabilités nouvelles. D'autres encore fréquentent certains groupes parce
qu'elles ont peur de se trouver seules. Elles sont constamment minées par une peur sous-jacente, par un message
de frayeur transmis par l'enfant intérieur: « Je ne suis
pas aimable, il faut que je me contente de ce que j'ai, il est
préférable de ne pas prendre de risques. »

Pourtant, ce qui est paradoxal, c'est que, tant que nous
ne renonçons pas à ce qui nous permet de nous sentir en
sécurité, nous ne pouvons jamais vraiment faire confiance
à l'ami, au conjoint, ou au travail qui nous offre quelque
chose. Le véritable sentiment de sécurité personnelle ne
vient pas de l'extérieur, il vient de l'intérieur. Quand nous
nous sentons vraiment en sécurité, c'est en nous-mêmes
que nous devons placer toute notre confiance.

Si nous refusons délibérément de prendre des risques
pour assurer notre croissance personnelle, nous demeurons inévitablement coincés dans notre situation. Ou

encore nous finissons par prendre un risque sans nous y être préparés.

D'une façon ou d'une autre, nous avons imposé des limites à notre développement personnel, nous avons refusé de nous mettre en action au service de l'accroissement de notre estime personnelle.

Avant tout, ce dont nous parlons vraiment, c'est du risque d'être soi-même. Cela semble si simple. On nous le répète depuis notre enfance: «Tu n'as qu'à être toi-même.» En effet, à première vue, cela semble bien simple, mais aucun risque n'est plus effrayant, ni ne comporte autant d'anxiété.

Les personnes qui ont peur d'être elles-mêmes se privent de découvrir ce qu'est vraiment la vie. Ce n'est pas être authentique que de vivre en faisant semblant d'être autrement que ce que l'on est réellement, ou de ressentir des émotions ou des sentiments qui ne sont pas vraiment les nôtres. Au contraire, c'est être malhonnête, inauthentique, faux. Le véritable prestige et l'estime de soi ne se construisent pas sur des faux-semblants. Si vous ne prenez pas le risque de changer quand le moment est venu, vous serez probablement obligé de changer au moment où vous serez le moins préparé à le faire. Les changements seront peut-être alors malsains.

À un certain moment, il faut renoncer à
ses façons d'être habituelles et aller de l'avant.
Ce moment est différent pour chacun.
Il n'existe aucun instant magique où
le risque est plus facile à prendre.
Chacun sait en lui-même
quel est le « meilleur » moment.

Les risques que nous devons prendre pour parvenir à une vie plus honnête sont toujours plus difficiles au début. Cela devient plus facile à mesure que nous faisons des choix et que nous procédons à des changements. Au fur et à mesure que nous prenons l'habitude du risque et que nous nous sentons à l'aise avec lui, il devient possible tous les jours. La vie que nous créons pour nous-mêmes ne comporte plus de limites et nous permet d'entrevoir tout un monde de possibilités.

Pour celui qui prend des risques,
le monde est rempli de possibilités.

Les exercices contenus dans les pages suivantes nous offrent des possibilités parfois risquées, mais en suivant les instructions, tout un éventail de choix de changements s'offre à nous.

Les besoins de sécurité

Avant de gravir la montagne vers une haute estime de soi, il est important de satisfaire nos besoins quotidiens et nos besoins de sécurité.

Nous avons besoin de nous sentir en sécurité et à l'aise physiquement et financièrement.

Certains besoins fondamentaux sont essentiels à la survie, et la satisfaction de ces besoins doit être notre priorité.

Les besoins essentiels

LE SOMMEIL — Il nous est déjà arrivé à tous de manquer de sommeil. Après un certain temps, nous ne pouvons plus penser clairement, nous commençons à oublier et nous devenons irritables. Il est absolument impossible de cheminer vers la confiance en soi et l'assurance tant que nous sommes surmenés, que notre esprit est confus et que nous manquons d'énergie.

LE TOIT ET LA NOURRITURE — Notre environnement et notre confort sont nécessaires pour nous permettre de nous sentir rassurés intérieurement. Il est très important de prendre des mesures pour faire de votre espace vital un endroit attrayant, reposant et agréable. Si vous vivez dans un foyer où il y a beaucoup d'activités et de distractions, il serait bon de trouver votre propre espace et de le rendre le plus apaisant et le plus agréable possible pour vous. Encore une fois, on ne peut développer son estime de soi en vivant dans un environnement tumultueux, où l'on se sent à l'étroit.

LA SÉCURITÉ FINANCIÈRE — Je ne parle pas de sécurité financière à vie. Ce dont je parle, c'est d'une sécurité financière suffisante pour payer son logement, sa nourriture et son transport. Il y a des besoins financiers essentiels à satisfaire avant de pouvoir commencer à trouver des façons d'augmenter l'estime de soi. Bien des femmes ont grandement souffert dans leur estime personnelle en vivant des situations où elles étaient incapables de répondre à leurs propres critères essentiels de survie, ou n'avaient pas la volonté de le faire. Il est important que chacun sache qu'il peut contribuer à sa propre survie, et qu'il prenne ensuite des décisions en gardant toujours cela à l'esprit.

L'ORDRE — Dans un monde parfois chaotique, bruyant, rapide et d'apparence souvent menaçante, il est essentiel de créer une sorte de refuge dans notre environnement. Nous devons faire ce qu'il faut pour augmenter l'ordre, le confort et la sécurité de l'environnement dans lequel nous vivons. De ce havre de paix extérieure, de notre sanctuaire personnel, il devient plus facile de prendre contact avec la paix intérieure.

LA SANTÉ — Les problèmes de santé ont un impact sur tout notre fonctionnement physique, mental et spirituel. Il est difficile de donner le meilleur de nous-mêmes quand nous sommes fiévreux, souffrants, épuisés. Infections, maux de dents, douleurs chroniques, maux de tête, *etc.,* tous ces malaises et bien d'autres peuvent nous réduire très rapidement à nos besoins essentiels.

Nous ne pouvons pas toujours empêcher la maladie, mais nous pouvons prendre des moyens clairs et décisifs pour conserver notre santé et prévenir la détérioration physique et la décrépitude précoces. Nous pouvons faire ce qu'il faut pour maintenir notre santé à son plus haut niveau. C'est une dimension importante de la préparation à la valorisation de soi. Cela signifie qu'il faut surveiller son poids, manger convenablement, s'abstenir de fumer et évaluer notre consommation de substances chimiques qui influent sur l'humeur (alcool, médicaments prescrits et autres drogues consommées dans les moments de loisir).

LES CHANGEMENTS QUE JE DOIS FAIRE

« Contrôle » santé

QUOI	QUAND	COMMENT
1. Contrôle du poids	Maintenant	Joindre les Outremangeurs Anonymes
2. Tabac	Dans deux semaines	Suivre un traitement
3. Exercice	Maintenant	Marcher un kilomètre par jour
4. Drogues	Maintenant	Cesser la consommation
5. Sommeil	Dans un mois	Quitter son deuxième emploi; terminer ses cours; cesser de regarder la télévision tard le soir

« *Moi* »

QUOI	QUAND	COMMENT
1. Contrôle du poids		
2. Tabac		
3. Exercice		
4. Drogues		
5. Sommeil		

À la maison

QU'EST-CE QUE J'AIME?	QU'EST-CE QUE JE VEUX CHANGER?
1. Les couleurs	Repeindre ma chambre d'une couleur de mon choix
2. La lumière	Changer les rideaux ou les stores
3. La musique	Acheter un nouveau système de son
4. Le beau	Acheter des fleurs toutes les semaines

Outre nos besoins essentiels, nous avons tous des besoins affectifs. Bien que certains considèrent l'amour comme un luxe, les besoins affectifs sont en soi aussi essentiels que n'importe quel autre besoin.

Besoins affectifs

Définitions de l'amour
Profond sentiment d'attachement personnel
Affection
Attachement

Chacun de nous, en tant qu'êtres distincts, cherche à résoudre sa différenciation par l'attachement qu'il porte aux autres. Au début, cet « amour » était dirigé vers les parents. Par la suite, nous entretenons toute notre vie des relations pour répondre à nos besoins d'affection. Le défaut de créer des liens d'affection entraîne toutes sortes de complications. L'absence d'amour a plusieurs conséquences néfastes, allant de l'incapacité de s'épanouir à la diminution de l'espérance de vie, sans oublier une existence fausse et déficiente sur les plans émotif et psychologique. La solitude tue.

Il y a plusieurs façons de satisfaire ces besoins affectifs. En plus de l'attachement personnel qu'on retrouve dans les relations d'amitié et les relations de couple, il existe plusieurs niveaux d'affection. Certains besoins affectifs sont satisfaits en se joignant à des groupes ou en pratiquant des rituels.

En ce qui a trait aux rituels, notons que certaines personnes peuvent éprouver un certain sentiment de réconfort dans l'appartenance à une communauté religieuse, à une équipe sportive ou à une certaine société. Chacun de ces groupes offre des lieux où il est possible de partager des objectifs, des idées ou des efforts communs, procurant ainsi un sentiment d'appartenance et d'importance.

À un niveau plus interpersonnel, nous rencontrons toute une variété d'amitiés. Les affections satisfaisantes et l'amour exigent que l'on donne de l'attention et de l'affection, et que l'on en reçoive. Lorsque deux personnes donnent et reçoivent, elles libèrent de l'énergie, ce qui leur permet de se sentir en vie et sur la même longueur d'onde. Cela n'a rien à voir avec le partage des choses matérielles; il s'agit plutôt de partager l'essence humaine. Ce que vous êtes est partagé avec ce que quelqu'un d'autre est. Les deux personnes sont enrichies par ce partage et il en découle quelque chose de nouveau qui s'appelle une « amitié ». Chaque personne a besoin de plusieurs amitiés significatives pour combler ses besoins d'affection.

Chaque personne a besoin
de plusieurs amitiés honnêtes et significatives
pour combler ses besoins d'affection.

MON ORDONNANCE PERSONNELLE

 ORDONNANCE

Mettre dès maintenant un terme
aux amitiés qui drainent l'énergie.

Se faire un nouvel ami tous les mois.

(Répéter au besoin)

Ces amitiés stimulantes peuvent être entretenues par une reconnaissance périodique de leur importance, comme dans les lettres qui suivent:

Exemple de lettre affectueuse à une amie...

Chère Barbara,

Cette lettre d'amitié et d'amour que je t'écris est pour moi très spéciale. Les jours se suivent et il m'arrive très souvent de penser que j'ai bien de la chance de t'avoir pour amie. Je me souviens du moment où j'étais en colère à cause de mon travail, et où j'avais tellement besoin d'en parler à quelqu'un. Je me sentais à l'aise de t'appeler. Je savais que tu n'essaierais pas de te mêler de mes affaires et que tu ne me blâmerais pas. Je pouvais compter sur toi pour me laisser tempêter et délirer, en sachant que tu me ferais remarquer ensuite que tout cela passerait et que tu te souciais de ce que je ressentais.

Je me rappelle aussi le soir où nous sommes allées à cet affreux restaurant au centre-ville. La soirée aurait pu être tout à fait ratée, et pourtant nous n'avons pas cessé de rigoler à propos de tout et de rien — la nourriture, le serveur, nous, le monde entier. Nous avons fini par passer une soirée des plus rafraîchissantes sur le plan affectif. C'est si facile d'avoir une amie comme toi.

Je pourrais continuer encore plus longtemps, mais je sais bien que ce n'est pas nécessaire. Je veux juste te rappeler toute l'estime que j'ai pour toi et souhaiter que notre amitié continue de grandir avec les années.

Merci d'être mon amie

Une lettre à un fils...

Cher Manuel,

À l'occasion de ton vingt-deuxième anniversaire, je veux te rappeler combien j'ai été heureuse d'être ta mère pendant toutes ces années. Je me souviens du jour où tu es né. Ma vie n'a plus jamais été la même. Nous avons traversé des moments merveilleux et des moments difficiles aussi. Ce n'est pas facile d'être jeune, et ce n'est pas facile non plus d'être parent. Je pense que, tous les deux, nous nous en sommes plutôt bien tirés.

Je me souviens de la façon dont tu m'as serrée dans tes bras à la fête des Mères, de ton coup de téléphone quand j'ai été hospitalisée, des cadeaux de Noël que tu m'as faits au cours des ans, de ton sourire quand je faisais des biscuits au chocolat, et je me souviens à quel point je me suis sentie fière des choix que tu as faits dans ta vie. Aujourd'hui, tu es devenu pour moi un ami très spécial et je t'en remercie.

Tendresse et affection

Dressez une liste dès maintenant

Les lettres que je veux écrire

1.

2.

3.

4.

5.

6.

7.

8.

9.

10.

Un ami véritable

L'amitié survient quand vous souhaitez faire progresser la vie de l'autre et que l'autre souhaite faire progresser la vôtre. Cela comporte un risque parce que le partage doit être honnête et profond, et non pas juste un échange de gentillesses et de remarques superficielles. L'amitié implique le retour en soi et le partage des sentiments, des besoins, des désirs et des craintes.

L'amitié est toujours une relation à double sens ; on donne et on prend. Cela signifie prendre le temps et être empathique afin d'être à l'écoute des sentiments, des besoins, des désirs et des inquiétudes de votre ami. Chaque ami accepte la responsabilité de la moitié de la relation et chacun appuie l'autre. L'intimité est une marque d'amitié.

Cette sorte d'amitié requiert une attention et des soins constants.

Cette sorte d'amitié est *risquée* parce qu'elle sous-entend se découvrir, s'exposer et se rendre vulnérable. Cela comporte des exigences, certes, mais aussi de grandes récompenses.

Les récompenses de l'amitié sont celles que l'on retrouve pratiquement dans toute relation intime. Et toute amitié véritable, comme toute relation intime, contribue à l'estime de soi. Examinons maintenant de plus près la relation entre l'estime de soi et l'intimité.

6

Intimité, engagement
et estime de soi

L'intimité est un sujet populaire de nos jours. Chaque fois
que j'aborde, avec des groupes, les façons de développer
une plus grande estime de soi, la question de l'intimité
refait toujours surface beaucoup plus fréquemment en fait
que n'importe quel autre sujet. Ceux qui cherchent à augmenter leur estime personnelle semblent reconnaître
intuitivement que l'intimité est essentielle pour croître.

« Qu'est-ce que l'intimité — comment la reconnaître ? »

« Comment savoir quand je serai prêt à affronter
l'intimité ? Comment savoir si je suis en mesure de vivre
une relation vraiment intime ? »

« Comment puis-je m'y préparer ? Puis-je apprendre à
vivre une plus grande intimité, ou s'agit-il d'une caracté-
ristique génétique qu'on a ou qu'on n'a pas ? »

Toutes ces questions et bien d'autres sont soulevées
chaque fois qu'on aborde le sujet de l'intimité. C'est pourquoi je crois utile de m'étendre assez longuement sur la
façon dont je perçois l'intimité et sur les moyens d'y parvenir. C'est une merveilleuse gratification que de trouver
l'intimité véritable dans la vie. Cela engendre une estime

de soi sur laquelle on peut compter sur une base assez régulière.

L'intimité n'est pas une question de hasard,
c'est une question de choix.

L'intimité peut se vivre entre amis, entre membres d'une même famille, entre amoureux. Le secret de l'intimité est simple :

L'intimité est à la portée de quiconque
veut faire l'effort d'y parvenir...

La magie de l'intimité et le choix de l'engagement sont des défis à relever à tout âge. Ils sont d'un intérêt spécial au moment de la guérison d'une dépendance chimique, d'une codépendance, de problèmes d'enfant-adulte et d'une souffrance personnelle.

L'intimité est un mot magique. Bien des gens la désirent, quantité de chansons ont été écrites à son sujet, et plusieurs couples se plaignent de ne pas l'avoir. Plutôt que de donner une simple définition de l'intimité, j'aimerais exposer certaines idées sur l'engagement, la recouvrance, la fidélité, et avancer progressivement vers une compréhension de ce que signifie vraiment l'intimité.

RAPPROCHEMENT INTERMITTENT

Quelles que soient les composantes de l'intimité, il nous est arrivé à tous de vivre des moments de rapprochement:

a) Le partage de rêves et d'espoirs à la naissance d'un enfant ou pendant sa croissance.

b) Le fait pour deux personnes de prier ou de méditer ensemble.

c) L'impression de se sentir compris par quelqu'un quand un regard ou un sourire suffit à transmettre le message.

d) La sensation de chaleur qu'on éprouve dans les bras l'un de l'autre après avoir fait l'amour.

e) Le plaisir de voir un enfant réussir quelque chose (sport, danse, art).

f) La sensation d'intimité avec une Puissance supérieure (la nature, un coucher de soleil, une montagne majestueuse, le ressac de la mer).

g) Les souvenirs de vacances (repas, chansons, coutumes).

h) Les fêtes de famille.

L'intimité est le sous-produit d'un mode de vie, une façon d'être en relation avec la vie. L'intimité a plusieurs composantes et il faut avoir une certaine adresse pour apprendre à la vivre.

Fidélité

La première grande composante de l'intimité consiste à comprendre ce qu'est la fidélité. La *fidélité* signifie :

Qualité d'une personne qui ne manque pas aux engagements pris

Constance dans les affections, les sentiments

Attachement

Bien des gens ne se rendent pas compte que, spirituellement, notre fidélité ou notre loyauté doit être d'abord envers nous-mêmes. La fidélité, c'est la conscience que l'on a de sa propre intégrité. C'est un besoin essentiel pour l'être humain de respecter son propre potentiel de survie, de croissance, de réjouissance, et de rechercher les situations et le contact de gens qui le favorisent. Nous savons tous que le début de la guérison concerne la survie et la redécouverte de l'être intérieur que nous avons perdu ou endormi. Les alcooliques, les codépendants et les enfants-adultes en sont venus à reconnaître leur enfant intérieur, qui a connu la mort des « sentiments » pendant l'enfance, car ses sentiments et son innocence ont été éteints et abandonnés.

Que l'intégrité ou la fidélité envers soi-même se soit développée pendant l'enfance, ou qu'elle se soit perdue et qu'on cherche à la revendiquer dans un processus de guérison, chacun a un ensemble de valeurs que personne ne peut lui enlever et que personne ne peut lui imposer de l'extérieur. *Notre intégrité personnelle découle de l'harmonie entre notre système de croyances et notre expérience de vie.* Il y a une différence entre la définition de fidélité imposée par la société et l'intégrité que chacun développe pour s'affirmer et être en mesure de se donner personnellement à quelqu'un ou à quelque chose. On ne peut pas donner ce qu'on n'a pas. Si nous ne nous possédons pas nous-mêmes, nous ne pouvons pas nous donner dans une relation.

L'aptitude à être « un intime » demande que notre comportement s'harmonise avec notre système de valeurs. Nous devons savoir comment être des « personnes fidèles » à nous-mêmes avant de nous donner en toute bonne foi à quelqu'un d'autre.

Il est important de comprendre notre guérison tandis que nous traversons des périodes de changement dans nos relations, dans nos engagements et dans notre mode de vie. Permettez-moi de mentionner quelques faits qui font partie de la réalité dans laquelle nous vivons :

> *« Les Jalbert sont réunis pour souhaiter "Bon anniversaire" à Joël. Il y a papa et sa deuxième femme, maman et son deuxième mari, les deux demi-frères de Joël du premier mariage de son papa, ses six "belles-sœurs" des unions précédentes de sa mère, son grand-père âgé de 100 ans, les six "grands-parents" actuels de*

Joël, et un grand nombre d'oncles, de tantes et de cousins. Comme un automate, Joël développe ses cadeaux et, en soufflant les bougies, il fait un vœu : que les relations soient plus simples. »

Les relations se compliquent de plus en plus. Il devient encore plus important pour nous de faire face à certaines réalités qui surviennent dans notre vie, dans celle de ceux que nous aimons et de ceux avec qui nous travaillons. *Il semble que le temps où les relations pouvaient être facilement résolues par des méthodes simples et traditionnelles soit révolu.*

Toutefois, peu importent les changements que nous connaîtrons en matière de technologie et de relations humaines, il semble certain que les besoins humains d'amour, d'appartenance, d'affection et d'intimité assureront la survie des relations. Le mariage et la cohabitation peuvent apparemment s'annoncer différents dans l'avenir. Nous connaîtrons les familles monoparentales, les familles reconstituées, les belles-familles, les familles homosexuelles et les familles communautaires. Il est cependant tout à fait possible que les relations de l'avenir soient plus solides, que les individus soient plus engagés les uns envers les autres et moins isolés qu'aujourd'hui, si nous regardons en face ce qui se passe et si nous en discutons ouvertement.

Les gens vont de moins en moins « se contenter » de relations de couple et de relations d'amitié insatisfaisantes. Voyons en quoi consiste une relation de couple ou une amitié intime : « *C'est un choix entre deux personnes qui s'engagent l'une envers l'autre à partager un mode de vie constructif. Un engagement fondamental comporte une dimension sexuelle.* »

L'amitié ou la relation est donc basée sur la fidélité — d'abord envers soi-même, puis l'un envers l'autre. Cet engagement implique un intérêt et un soutien mutuels, le partage d'une vision commune des objectifs de la vie et un accord sur les moyens de les atteindre. Afin de se qualifier pour ce type d'amitié ou de « relation de couple », chaque individu doit avoir développé suffisamment d'estime de soi pour avoir le courage, le désir et la capacité de se partager entièrement avec une autre personne.

GUÉRIR SES RELATIONS

Les codépendants, les alcooliques et les enfants-adultes ont traditionnellement échoué dans leur tentative de trouver ce qu'il faut pour partager leurs besoins avec un ami ou un conjoint. Voici ce qui devrait être partagé:

- Les émotions et les sentiments spontanés (on nous a appris à étouffer nos sentiments et à les garder pour nous).

- La réflexion lucide (l'esprit est encombré de règles, de devoirs, d'idées et d'attentes qui viennent du passé).

- La santé physique (la nourriture, la cigarette, le sucre, le surmenage ont tous servi de moyens pour soulager la souffrance intérieure).

- La vulnérabilité sexuelle (le contrôle des autres et le manque de confiance ont empêché d'atteindre la maturation sexuelle).

- Les désirs spirituels (la lutte quotidienne pour la survie a empêché de consacrer temps, énergie et confiance à une relation avec une Puissance supérieure).

Pour un très grand nombre d'alcooliques, de codépendants et d'enfants-adultes, les relations et mariages de jeunesse sont survenus à une époque où leur moi intérieur n'était pas développé ou n'était pas suffisamment conscient pour permettre un engagement total. *On a parfois des prises de conscience pendant la recouvrance et on se rend compte qu'on est lié à une autre personne sans jamais avoir fait de « choix sain » et clair.*

Quand cela se produit, il est possible que la personne vive l'une des situations de base suivantes :

1. Relation conflictuelle

Les personnes issues de foyers malheureux ont l'habitude des conflits. Les querelles, la froideur et le sarcasme leur semblent naturels. Au bout d'un certain temps, on en vient à croire que les disputes et la souffrance émotive ne sont pas un problème. Les querelles deviennent un mode de communication acceptable et les gens qui vivent dans ce genre de milieu véhiculent ce type de communication dans toutes leurs relations.

2. Relation démotivée

Pour les gens qui vivent ce type de relation, les premiers jours étaient remplis de passion et de joie. Toutefois, avec le temps, ces personnes ont laissé les préoccupations extérieures devenir des obstacles à l'intimité de leur « couple ». Dans leur vie extérieure, elles s'en tirent bien. Elles se dévouent aux enfants, aux grands-parents, au travail, aux amis ou à la communauté. Mais à l'intérieur, dans l'intimité du foyer ou de la chambre à coucher, la passion a disparu et l'éloignement a pris place. L'ennui et le ressentiment ont libre cours.

3. Relation pratique

Cette relation est très semblable à la relation démotivée. Les enfants-adultes et les codépendants ont l'habitude « d'accepter de se contenter de... » et la relation a probablement toujours été dépourvue de passion. Les partenaires ont bien voulu « se contenter » de camaraderie plutôt que de connaître la passion ou le partage intime. La relation se limite à une mise en commun d'intérêts professionnels, de loisirs, de sports, d'amour pour les enfants, *etc.* La dynamique entre les deux partenaires est principalement platonique. Tous les gens qui vivent ce genre de relation souhaiteraient avoir une relation intime.

4. *Relation intime*

La relation intime déborde de vie. Chacun des partenaires partage avec l'autre sa vie intérieure aussi bien que sa vie extérieure. Chaque individu développe son identité, puis donne cette identité développée et accomplie aux autres. La relation est remplie d'énergie, et chacun a beaucoup à donner à l'autre. Les tensions et les problèmes sont résolus au fur et à mesure qu'ils surviennent, car les partenaires refusent de laisser des conflits non résolus s'installer entre eux. Les couples et les familles n'épargneront ni le temps, ni les efforts, ni l'argent pour résoudre un conflit et favoriser les rapprochements, parce que la relation a une très grande valeur pour eux. Le temps passé ensemble procure sécurité, chaleur et dynamisme.

Souvent les relations qui se forment pendant le stade actif d'une dépendance ou d'une codépendance souffrent de problèmes qui étaient déjà existants au début de la relation ou du mariage. Parmi ces problèmes spécifiques, on retrouve :

- le manque de confiance envers les autres ;
- la difficulté d'être honnête ;
- la peur de la colère ;
- l'ignorance du « langage des sentiments ».

Les problèmes apportés dans la relation, puis accrus par celle-ci, peuvent causer un « divorce spirituel » bien avant que l'on envisage un vrai divorce ou qu'on l'admette.

DIVORCE SPIRITUEL

Le divorce spirituel présente les caractéristiques suivantes:

1. Tristesse habituelle au sein du couple — peu d'énergie...

2. Sentiments mutuels d'ennui ou de vide...

3. Indifférence face aux problèmes ou aux rêves de l'autre...

4. Froideur fréquente ou refus répétés de relations sexuelles...

5. Manque de politesse et de petites attentions...

6. Climat de méfiance mutuelle...

7. Confiance plus grande envers une personne extérieure au couple qu'envers son conjoint...

8. Communications routinières et superficielles...

9. Sentiments fréquents de solitude et d'incompréhension...

10. Insultes, sarcasmes, et malaise à éprouver une colère saine...

11. Dérobades multiples et peu de confrontations...

12. Vie professionnelle ou sociale très active et confuse...

13. Perte de la capacité de s'amuser et de s'enthousiasmer...

14. Atmosphère de « silence imprégné de violence » à la maison...

Dans le processus de guérison, nous nous trouverons devant des choix sérieux à faire dans nos relations. Deux de ces choix sont:

1. *Le réengagement total l'un envers l'autre*

Dans le réengagement, les deux partenaires commencent à évaluer sérieusement la qualité de leur relation et prennent la décision de se réengager l'un envers l'autre, et de faire les changements et les choix nécessaires pour se rapprocher.

Il peut parfois être nécessaire d'avoir recours à une aide extérieure qualifiée. Les membres de la famille et les amis (même si ce sont des conseillers professionnels) ne suffisent pas en l'occurrence.

2. *L'engagement total dans le processus de guérison personnelle*

Parfois les gens décident de s'attaquer à leur propre identité avant d'être prêts à se réengager ou à s'engager avec leur conjoint ou n'importe qui d'autre. Ils doivent alors faire face à toutes les conséquences de cette décision et, encore là, une aide professionnelle peut s'avérer nécessaire.

7
Lignes directrices
pour développer l'intimité

Je propose à ceux qui ont pris la décision de construire une relation de qualité les lignes directrices suivantes pour développer l'intimité. Elles peuvent paraître simples, mais il n'est pas toujours facile de consacrer le temps et l'énergie nécessaires pour les suivre.

1. *Prendre le temps d'écouter l'autre tous les jours.* Une étude a démontré que le partenaire moyen consacre seulement neuf minutes par jour à une conversation avec l'autre, face à face, les yeux dans les yeux. Il est nécessaire de communiquer directement, sans avoir à couvrir le bruit de la télévision ou de la radio, et sans devoir crier d'une pièce à l'autre.

2. *Ne jamais abandonner un problème tant qu'il n'est pas résolu et classé.* Le fait de toujours ressasser les mêmes problèmes diminue la confiance et entraîne la création de nouveaux problèmes. Dès l'instant que l'on aborde une fois de plus la même question, on lui ajoute un sentiment de non-résolution. Ce sont souvent les vieux problèmes et non

les nouveaux qui détruisent la confiance et l'amour au sein des couples.

3. *Découvrir les sentiments qui se cachent derrière les problèmes.* Les problèmes sont des luttes de pouvoir. Dans les discussions sur la famille de l'autre, le sexe, l'argent et les enfants, il existe, dans la plupart des cas, deux façons de voir les choses, et les arguments finissent par devenir des débats stériles. Les sentiments sont réels et favorisent la compréhension. La compréhension peut déclencher un changement de comportement et le pardon. Et c'est avec le changement de comportement que le processus de guérison commence.

4. *Rompre la consigne du silence.* Si l'autre vous dérange, parlez-en. C'est malhonnête de donner des indices, de jouer des jeux ou de s'attendre à ce que l'autre lise dans votre esprit.

5. *Établir les frontières à respecter avec les enfants, les amis et les parents.* Dites clairement ce que vous choisissez de partager avec eux en ce qui a trait à votre relation et à votre travail, et ce que vous croyez ne pas être de leurs affaires. La majeure partie de la « relation de couple » est privée et ne regarde personne. C'est un obstacle sérieux et pourtant fréquent à l'intimité. Les familles dépendantes de substances chimiques ne savent pas ce que sont ces frontières saines ou les connaissent mal. Les indiscrétions trop fréquentes diluent la relation entre deux personnes et diminuent la confiance dans bien des cas.

6. *Prendre la décision de découvrir ce que sont vraiment les rapports normaux, naturels et sains, et de commencer à les vivre.* Pour une personne issue d'une famille alcoolique, le stress, les crises et la violence paraissent normaux et familiers. En développant une relation intime, il y aura des moments

d'ennui apparent. Ni hauts, ni bas — juste une nouvelle sensation de non-intensité. Il faut s'y accrocher. Les récompenses seront différentes, mais elles commenceront à se manifester. Plutôt que de vivre des hauts et des bas, des fureurs et des désespoirs, il se développera des sentiments subtils et inconnus d'appartenance, de réconfort, de tranquillité et de paix intérieure. Au début, il peut être difficile de reconnaître ces sentiments, car ils risquent d'être confondus avec l'ennui, l'apathie et le vide. Il faut du temps pour sentir la paix intérieure, le bien-être et le confort.

7. *Penser à quelques moyens de développer et d'entretenir une atmosphère affectueuse à la maison.*

   a) Écrire des messages, des cartes, des lettres d'amour. Les coller sur les miroirs, les placer dans des tiroirs ou les envoyer par la poste. C'est ce que j'appelle le « courrier magique ».

   b) Toucher souvent l'autre, pas sexuellement, juste affectueusement. C'est une façon de lui faire savoir que vous l'aimez et que vous êtes conscient de sa présence.

   c) Décider de ne jamais se disputer ou se quereller pendant un repas. Quand on observe les relations et les familles saines, on constate que chacun avoue avoir toujours hâte de prendre son repas avec l'autre ou avec les autres.

   d) Convenir d'un moment spécial qu'on a hâte de partager avec l'autre chaque jour, chaque semaine, chaque mois, chaque année. C'est un moment éternel. Aucune activité particulière et personne d'autre. Ce peut être un film, un repas, une promenade, un court voyage, *etc.* Le meilleur rythme est:

– une fois par jour ;

– une fois par semaine ;

– une fin de semaine par mois ;

– une semaine à tous les six mois.

8. *Choisir divers moyens d'avoir du plaisir.* Faites de votre foyer un terrain de jeu plutôt qu'un champ de bataille. Riez beaucoup, soyez même idiot parfois... ça aide à guérir!

9. *Apprendre à se disputer souvent, honnêtement, de façon constructive.* Apprenez à dissiper les tensions et les désaccords quand ils se produisent. Discutez des désaccords en présence d'autres personnes en qui vous avez confiance et demandez-leur leur opinion. Continuez votre chemin. Les ressentiments et la dérobade étouffent l'énergie nécessaire à l'intimité.

10. *Chercher un sens à la vie en dehors de la relation de couple ou de la relation d'amitié. C'est primordial.* Appelez cela une Puissance supérieure, Dieu, ou ce que vous voulez. Cherchez la source, et le « cheminement partagé » vous rapprochera dans l'intimité.

SEXE, INTIMITÉ ET ESTIME DE SOI

Le plus grand mythe en ce qui a trait à l'intimité consiste probablement à penser que c'est avant tout quelque chose de sexuel. L'intimité comporte une part de sexe et de sexualité, mais l'accomplissement sexuel est directement lié à la qualité de l'intimité qui précède le contact physique. Très peu de gens viennent me voir pour me confier qu'ils voudraient plus de sexe dans leur relation. La plupart sont en quête d'une plus grande intimité, de plus d'attention et de partage. Quand ils commencent à mieux connaître l'intimité, ils veulent naturellement plus de relations sexuelles et ils en tirent plus de plaisir.

L'intimité nécessite une pleine maturité sensuelle. Ce processus de maturation peut se développer ou être retardé très tôt dans l'enfance, et il peut continuer à se développer ou à prendre du retard pendant toute la vie. Nos sens comprennent la vue, l'ouïe, le toucher, les sentiments et l'intuition.

Dans le processus de recouvrance, nous devons souvent retourner en arrière, dans notre enfance, et apprendre pour la première fois ou réapprendre certaines aptitudes perdues ou non développées. *Un réapprentissage sensuel* est nécessaire pour la plupart des personnes en voie de guérison. « S'ouvrir » à la vie est une façon de se préparer à « s'ouvrir » sensuellement et par la suite sexuellement.

On rencontre deux problèmes sexuels principaux en processus de recouvrance : l'impuissance sexuelle chez les hommes ; et la dépression et l'apathie sexuelle, ou l'impossibilité d'atteindre l'orgasme chez les femmes.

La puissance sexuelle est liée à l'énergie et au pouvoir personnel. L'impuissance et l'impossibilité d'atteindre l'orgasme correspondent à une sensation d'être pris au piège, dominé et effrayé. Quand nous sommes incapables de nous défendre contre certaines influences dominantes, nous nous sentons impuissants et apathiques. La dépression et l'apathie guettent les personnes qui ont l'impression que leurs actions et leurs désirs ne comptent pas, qu'elles sont dans des situations où elles ne peuvent avoir aucune influence sur le cours de leur vie. *La puissance, l'orgasme et le désir augmentent chez les gens qui sont capables de vivre une intimité et de prendre conscience de leur pouvoir personnel.*

L'érotisme peut s'enrichir avec le temps. L'approfondissement de la connaissance de son partenaire entraîne une plus grande confiance. Quand vous et votre partenaire vous connaissez en profondeur, il devient possible de raffiner votre passion. L'intimité profonde peut donner lieu à la plus merveilleuse sexualité. L'amour pleinement engagé tire ses mystères et ses merveilles d'un puits bien plus profond que la passion sexuelle.

Un autre sujet qui fait fréquemment surface durant le processus de recouvrance concerne la fidélité, la jalousie et la monogamie. Certaines des pensées qui suivent me sont propres; d'autres sont attribuables à George Leonard qui a écrit magistralement sur la monogamie.

Selon George Leonard: « L'amour engagé entre deux personnes qui ont une haute estime d'elles-mêmes consiste aussi bien à "donner de l'amour" qu'à avoir la capacité de "recevoir de l'amour". » Dans cette dynamique, les deux personnes sont transformées. La monogamie est à la fois stimulante et pleine de possibilités. La stimulation ne consiste pas à connaître des partenaires différents, mais à découvrir la nouveauté et les différences d'un partenaire qui continue de grandir et de changer.

La personne qui dépend d'une substance chimique, ou le codépendant qui a pris la décision spirituelle de se tourner vers une Puissance supérieure et de s'engager dans l'abstinence sait bien ce que signifient la mort et la renaissance. Cette personne connaît également l'énergie et la liberté que procurent l'abandon et l'engagement. Deux personnes qui suivent le même chemin en tant qu'individus, et qui décident de s'engager plus à fond dans une « relation de couple », connaissent un autre niveau de stimulation et d'énergie.

Ces relations ne sont toutefois pas faciles à réaliser. Elles exigent que les deux partenaires aient une « haute estime d'eux-mêmes », et qu'ils s'entendent pour partager une vision commune et y travailler. Chacun a besoin d'aimer et de consolider sa propre identité et celle de l'autre.

Si une seule personne se trouve en période de croissance, elle seule découvre sa propre beauté et son potentiel.

Plus nous découvrons notre beauté personnelle et notre valeur, moins nous voulons gaspiller notre potentiel. Si la personne ne connaît pas une relation satisfaisante et vivante, « la tentation d'aller voir ailleurs sera grande ». Les statistiques démontrent que la plupart des gens qui vivent des aventures extraconjugales ou du sexe occasionnel ressentent un « besoin de changement » et un désir d'être compris et estimés. Ils justifient leurs « aventures ».

En réalité, ces gens ont peur de faire des changements significatifs dans leur vie, qui leur procureraient un support permanent. Leur aventure vise en fait à leur apporter « un soulagement tout en évitant les changements », plutôt que de risquer un changement honnête et permanent dans leur relation de tous les jours. Après que la nouveauté érotique superficielle s'est estompée, que tout a été dit, que tous les fantasmes sexuels ont été explorés, l'aventure de la transformation par l'engagement peut commencer.

Mais c'est précisément au moment de l'engagement que bien des gens ont peur du travail que cela peut représenter d'aimer quelqu'un. C'est le moment de poursuivre son chemin, de « rencontrer » quelqu'un d'autre au lieu de se regarder clairement et de se rapprocher davantage. Les aventures — les relations accidentelles — signifient éviter les vraies responsabilités, l'engagement véritable et l'intimité. Ce sont des signes qui appellent des changements dans une relation, soit vers une rupture, soit vers une amélioration.

La véritable intimité a un prix, comme en ont la plupart des objets de valeur. Le développement d'une relation nous coûte notre innocence, nos jeux, nos illusions et notre certitude.

L'intimité est un sous-produit des liens étroits. Il existe différents types de liens entre les personnes qui choisissent d'établir des relations de partage intimes.

- Les liens d'amitié peuvent vous unir à un parent, à un enfant devenu grand, à un frère jumeau, à des amis. Le critère pour parvenir à l'intimité est le même dans toutes les relations significatives. Les personnes intimes s'intéressent beaucoup à l'apparence de l'autre, à ses sentiments, à ses pensées et à ses rêves. Nous entendons alors souvent les gens dire: « Je me sens plus près de mes amis que de ma famille. » C'est à cause du *degré de risque qu'ils ont pris dans l'intimité et le partage.*

- Le lien et l'engagement primordiaux s'adressent au conjoint parce que le lien entre conjoints comporte en plus la dimension de dynamique sexuelle monogame.

- Le lien et l'engagement ultimes sont accordés à une Puissance supérieure. Être vraiment intimes signifie être importants l'un pour l'autre et partager sentiments, pensées, désirs, craintes et rêves.

C'est partager les plaisirs et les souffrances dans la sécurité de la confiance et de l'engagement, puis choisir les expériences, l'environnement, les amitiés et le comportement qui favoriseront les liens avec soi-même, son conjoint et une Puissance supérieure. On apprend à admettre prudemment dans notre espace vital des gens qui:

1. nous offrent le meilleur appui dans notre croissance, nos changements et notre démarche vers notre destinée personnelle. En un mot, un comité d'encouragement qui nous aime;

2. ont une façon de voir que nous pouvons respecter et admirer, de sorte que nous puissions faire partie de leur propre comité d'encouragement, ce qui est aussi très important.

Certains d'entre vous éprouveront le désir de connaître plusieurs amitiés pour répondre à leur besoin d'intimité, d'autres souhaiteront trouver un conjoint. Les deux possibilités peuvent répondre à nos besoins et nous aider à trouver notre destinée. *Les intimes sont des personnes qui nous aident à trouver notre destinée et qui nous appuient dans nos démarches.* Il peut s'agir de notre conjoint, de nos parents, de nos enfants ou de nos amis.

CARACTÉRISTIQUES DES INTIMES

Voici quelques traits qui caractérisent les intimes :

1. Les intimes se disputent, rient, font des projets, échangent des idées, et injectent de l'énergie positive dans la relation. (« On a du plaisir en leur compagnie. »)

2. Les intimes partagent le pouvoir dans la relation. Ils assument, chacun leur tour, un rôle de dirigeant.

3. Les intimes acceptent le changement et l'apprécient. Ils connaissent le lien étroit qui existe entre le changement et la réalité, et savent que peu de choses sont immuables.

4. Les intimes ont un comportement cohérent, sur lequel on peut compter. C'est ainsi que se construit la confiance.

5. Les intimes ont suffisamment d'estime de soi pour savoir qu'ils méritent qu'on soit près d'eux, qu'on les aime et qu'on s'occupe d'eux, et ils savent aussi qu'ils n'ont pas besoin de jouer des jeux pour attirer l'attention.

6. Les intimes ont développé leur sens de l'humour. Ils consacrent suffisamment de temps, d'énergie et d'argent à se divertir ensemble, et parfois ils font même des extravagances.

7. Les intimes apprennent à demander ce qu'ils veulent et ce dont ils ont besoin, et ils n'ont jamais recours à la manipulation et au pleurnichage.

8. Les intimes n'ont pas honte d'agir « comme des enfants » l'un envers l'autre. Une journée ou une nuit ne passe jamais sans manifester son estime envers l'autre.

---

*L'intimité est
une expérience extraordinaire.*

8
Besoins affectifs
et valorisation de soi

CERTAINES RELATIONS DOIVENT PRENDRE FIN

Bien que l'intimité soit une expérience extraordinaire, les relations ne la favorisent pas toutes. Comme je l'ai déjà signalé plus tôt, certaines relations nuisent à la croissance, sont psychologiquement nocives, physiquement et émotivement destructrices. D'autres sont des relations fantômes qui n'existent que sous la forme d'une présence habituelle vaguement ressentie, vaguement perçue. Certaines relations sont chargées de conflits, d'autres sont démotivantes, ou strictement entretenues par commodité.

Ceci nous ramène à une dure réalité au moment où nous faisons tomber le masque conventionnel de la politesse forcée pour examiner le cœur de nos relations. Certaines relations résistent bien à l'examen. Elles reposent solidement sur les forces des deux parties en cause. Plusieurs autres toutefois apparaissent chancelantes, presque fondamentalement sans substance.

Par exemple, de nombreux alcooliques, codépendants et enfants-adultes entreprennent des relations par désespoir, ou par inertie, sans trop y penser, sans faire de choix sains. Ils cherchent un remède à leur souffrance affective dans une relation interpersonnelle. Non seulement ces gens-là ne guérissent pas, mais ils s'engourdissent et vivent une détresse encore plus grande. En réalité, dans ces relations, une des personnes veut guérir et prendre la responsabilité de son intégrité personnelle, tandis que son partenaire ne le veut pas.

Lorsque nous en sommes à ce stade, nous devons évaluer honnêtement nos amitiés et nos relations principales. Deux personnes peuvent parfois vivre ensemble des vies séparées, mais cela ne fonctionne pas souvent.

Le psychiatre David Viscott a écrit: « Il vient un temps dans certaines relations où, peu importe la sincérité avec laquelle on tente de s'entendre et la force du désir de recréer ce qui a déjà été partagé, le combat devient si pénible qu'on ne peut plus ressentir rien d'autre, et que le monde avec toute sa beauté ne fait qu'ajouter à notre malaise par la cruauté du contraste qu'il nous offre. »

Une dure vérité qu'il faut envisager de plein fouet: *certaines relations doivent prendre fin*.

Lorsqu'une personne choisit de croire en elle, cela peut souvent bouleverser grandement la relation de couple ou d'autres types de relations. Selon Sheldon Kopp: « certaines personnes projettent souvent une image de stabilité hypernormale et de bonheur marital et familial ».

Ce qui se passe en réalité, c'est qu'elles ont mis au point un système élaboré de commentaires, d'indices et de punitions subtiles pour mettre l'autre en garde contre la spontanéité ou le changement, parce que cela risquerait de faire vaciller l'équilibre précaire de la relation et que l'hypocrisie de la pseudo-stabilité surcontrôlée serait mise au jour.

Dans les couples ou dans les familles où une souffrance constante et véritable se cache derrière la stabilité et le statu quo, le combat dans le processus de recouvrance consistera à maintenir « le mythe de la relation ou de la famille ». La guérison individuelle sera considérée comme étant égoïste, insultante, injuste et même bizarre. Ces familles ou ces couples chercheront souvent un soulagement sous forme de consommation excessive de nourriture, de recours aux substances chimiques, à la cigarette, à l'abus de médicaments prescrits, à la critique, au sarcasme, à l'indifférence sexuelle ou au passage à l'acte.

Si les partenaires n'ont pas tous les deux la volonté de consacrer du temps pour vivre pleinement une relation d'engagement, il est essentiel de reconnaître que l'un des deux ne peut suivre deux chemins en même temps sans provoquer un stress dans la relation. Et ce stress entraîne des complications. À mesure que nous avançons sur le chemin de notre croissance personnelle, nous puisons une dose d'estime et d'amour chez les personnes qui font partie de notre comité d'encouragement. Si vous avez besoin de modifier un engagement, analysez honnêtement votre situation.

« La vraie fidélité est un service rendu à l'énergie vitale — et non le devoir de se consacrer à ses premiers engagements ou à un style d'existence. Toute personne fidèle à une orientation spirituelle sait que la fidélité jusqu'à la mort ne signifie pas qu'il faut faire une certaine chose jusqu'à la mort biologique, mais aussi longtemps que cela sera nécessaire pour éviter la mort spirituelle. La personne fidèle n'est pas celle qui maintient ses premiers engagements, mais celle qui reste à tout prix engagée dans l'énergie vitale. Envisager ce qui doit être envisagé. Voilà ce que sont vraiment la réalité et la fidélité. »

Voici comment Leo Buscaglia décrit la force d'une bonne relation dans son ouvrage intitulé *Loving Each Other :*

On mesure vraiment une bonne relation dans son aptitude à favoriser une croissance optimale intellectuelle, émotive et spirituelle. Donc, si une relation devient destructrice, met en danger notre dignité humaine, nous empêche de grandir, nous déprime et nous démoralise continuellement et si nous avons fait tout ce que nous pouvions pour éviter cet échec, à moins que nous ne soyons masochistes et que nous nous complaisions dans le malheur, il faut y mettre un terme. Nous ne convenons pas à tout le monde et tout le monde ne nous convient pas. La question est : « Si on ne peut pas être avec un autre, peut-on au moins ne pas lui faire du mal? Peut-on, au moins, trouver une façon de coexister? »

À VOUS DE JOUER

Ann Landers, la courriériste bien connue, donne le conseil suivant aux personnes qui songent au divorce: décidez si vous êtes mieux avec ou sans votre conjoint. Puis, agissez en conséquence.

Ça va, vous avez agi en conséquence — et puis après?

La séparation est une réalité douloureuse à laquelle plusieurs d'entre nous doivent faire face au cours de leur vie. Nous avons tendance à réagir de deux façons après une séparation:

• Nous engager immédiatement avec quelqu'un d'autre — le fameux syndrome de la déception par lequel une personne se retrouve habituellement piégée dans une relation qui reflète son histoire passée.

• Nous refusons de courir le risque d'un nouvel engagement — la retraite dans une morne cellule de solitude et d'isolement émotif.

Mais il existe une troisième voie: rechercher un nouveau type de relation. Certaines personnes, après avoir cessé leurs tentatives de recréer un passé imaginaire et refusé de se contenter d'une existence terne et solitaire, commencent finalement à comprendre ce qu'est l'intimité.

Permettez-moi de partager avec vous les quelques pensées qui suivent; elles peuvent constituer des indices dans la recherche d'un être intime :

Les relations intimes se créent entre des personnes qui :

1. voient la beauté dans les autres. (Nous ne trouvons pas de gens parfaits, nous choisissons les gens et essayons de perfectionner notre capacité d'aimer et de recevoir de l'amour.)

2. qui peuvent définir leurs valeurs personnelles — qui savent ce en quoi elles croient.

3. qui font preuve d'indépendance plutôt que de dépendance dans plusieurs domaines de leur vie (financièrement, émotivement, spirituellement).

4. qui savent comment développer leur estime de soi et qui savent donner aussi bien que recevoir.

5. qui ont appris à accepter la réalité des choses plutôt que de les souhaiter autrement.

6. qui ont appris à pardonner et qui savent que la vie s'alimente de l'énergie du pardon passé.

7. qui ont appris à estimer ce qu'elles ont à offrir. Si nous ne nous aimons pas, nous ne pouvons pas nous offrir en cadeau à quelqu'un d'autre.

L'intimité n'est pas une question de chance, c'est une question de choix, et elle est à la portée de ceux qui veulent bien faire l'effort d'y parvenir. Selon mon expérience personnelle, je peux vous assurer que cela en vaut la peine !

Un jour, quand nous aurons maîtrisé l'air,
les vents, les marées et la gravité,
nous exploiterons pour Dieu les énergies de l'amour.
Et alors, pour la deuxième fois dans l'histoire
de l'humanité, l'homme aura découvert le feu.

Teilhard de Chardin

La réussite est un cheminement, pas une destination...

Ben Sweetland

Nous voulons tous avoir une bonne opinion de nous-mêmes et, bien souvent, cette opinion est reliée aux choses que nous sommes capables de faire. Le besoin d'estime personnelle s'entremêle au sentiment que nous apportons une contribution importante à la vie. Une des façons de construire notre propre estime est d'apporter une contribution productive, c'est-à-dire sentir que l'on a réalisé quelque chose pour soi aussi bien que pour le monde. Nous pouvons accomplir de grandes choses en termes de produits, d'argent ou de pouvoir. Mais si nous ne cessons pas d'en faire plus, encore plus et toujours plus, nous accomplirons peut-être beaucoup de choses, mais nous demeurerons vides à l'intérieur.

La sorte de travail productif dont je parle doit être un travail qui reste nouveau pour nous, frais et stimulant. Cela signifie que notre travail productif est parfois lié à notre emploi; c'est parfois un passe-temps, quelquefois une exploration. L'important, c'est qu'il nous stimule, qu'il entretienne notre enthousiasme et fouette notre énergie. Quand nos heures de travail quotidiennes comportent une grande part de tâches à faible énergie, il est d'autant plus important de trouver un « autre » travail productif qui maintient notre flux d'énergie à un haut niveau.

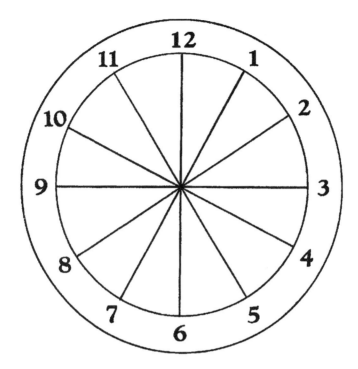

Ombragez les heures consacrées à un travail productif qui stimule votre énergie au plus haut point et que vous aimez (profession, passe-temps, activités). Assurez-vous que le plus grand nombre d'heures dans la journée sont consacrées à des choses très importantes pour vous. Sinon, quelle est la prochaine étape?

Dans son ouvrage intitulé *Self-Renewal*, John W. Gardner constatait l'importance d'« objectifs plus étendus » afin de minimiser les tendances égocentriques dans le développement (et le surdéveloppement du soi):

> *Dans le processus de croissance, les jeunes gens se libèrent de la dépendance envers les autres. À mesure que le processus de maturation continue, ils doivent également se libérer de la prison de l'égocentrisme exagéré. Pour ce faire, il ne doit tout de même pas aban-*

donner son individualité, mais il doit la placer au service d'objectifs plus étendus. Si quelque chose empêche ce résultat, l'autonomie de l'individu tournera en aliénation ou en égocentrisme.

Ma créativité

OÙ	CE QUE J'AIME	CE QUE JE VEUX CHANGER
Au travail		
À la maison		
Dans ma personne		

RITUELS ET VALORISATION DE SOI

Ma grand-mère m'a prodigué un merveilleux petit conseil qui m'a apporté beaucoup de bonheur avec les années. Elle m'a dit espérer que je suive au moins la moitié des rituels et coutumes que j'avais hérités de notre famille. Elle m'a ensuite mise au défi de commencer au moins cinquante pour cent de nouveaux rituels dont je serais à l'origine. J'ai eu du plaisir au fil des ans à fonder de nouvelles traditions, et je les trouve aussi importantes que celles que j'ai suivies...

Fêtes

1. Choisir des dates différentes en décembre pour célébrer Noël et fêter en famille, de sorte que le jour de Noël et la veille de Noël, tous les membres de la famille puissent apprendre à organiser leur

propre célébration. De cette façon, les besoins de plusieurs personnes sont satisfaits, et les couples peuvent choisir d'être ensemble sans s'inquiéter des parents, des enfants et des beaux-parents. Il y a tout le temps pendant ce mois pour se rapprocher de sa famille et répondre aux besoins individuels.

2. Les dimanches matin — Mon mari et moi avons choisi de réserver le dimanche matin pour être ensemble. C'est notre moment à nous. Nous le passons de diverses façons. Toutefois, le rituel est que ce moment nous est consacré. Pas de téléphone, pas de rencontres sociales, pas de travail — juste les choses que nous choisissons de faire ensemble.

3. Le moment du retour. C'est un nouveau celui-là. Mon mari et moi vivons tous deux des vies très actives. Nous avons constaté qu'après une absence, lorsque nous nous retrouvons, il y a très souvent un certain degré de tension. C'est également vrai, bien qu'à un degré moindre, à la fin de la journée. Nous avons maintenant un rituel qui dit « Arrêt ». Recommuniquer, réinvestir, refaire connaissance. Il peut s'agir de faire une promenade ou simplement de s'asseoir confortablement dans notre salon, mais nous prenons le temps de rebrancher la relation avant d'y ajouter des tensions supplémentaires.

4. Appeler un ami chaque semaine... C'est si facile d'adopter une routine et d'appeler les mêmes personnes tous les jours. Tant de merveilleuse énergie liée à l'amitié est gaspillée par négligence. Une fois par semaine, je choisis un ami et je l'appelle (appel local ou interurbain) juste pour dire bonjour, prendre de ses nouvelles et lui dire comment je vais. Cela prend très peu de temps (cinq à dix minutes) et je sens la chaleur du lien jusqu'à la semaine suivante, jusqu'au prochain appel.

5. Lettres d'anniversaire... À l'occasion de l'anniversaire des amis chers (aussi des enfants et des parents), j'envoie à ces personnes des lettres d'amour. Je leur fais savoir à quel point elles comptent pour moi et j'exprime spécifiquement les façons dont leur amitié a été importante pour moi au cours de la dernière année.

BESOINS AFFECTIFS

Chaque jour, je vais m'exercer à prendre conscience de ce que je ressens. À mesure que ma conscience s'aiguise, je vais également m'exercer à exprimer mes sentiments, puis à faire attention aux nouveaux sentiments que je ressens au moment où je m'exprime. Je laisserai mes propres émotions intérieures me guider dans mes prises de décision et dans ma façon d'apprendre à faire attention à moi. Mes sentiments seront mon guide...

ENTHOUSIASME! ESPOIR **CURIOSITÉ**

CULPABILITÉ **TRISTESSE** JOIE

BÊTISE COLÈRE **PEINE**

En prenant soin de moi émotivement, je vais régler mes vieux comptes. Je peux le faire en personne ou je peux écrire une lettre, mais je vais en finir...

Lettres modèles (Affaires non résolues):

Cher papa,

J'aurais aimé pouvoir te dire cela avant ta mort. J'ai toujours eu un peu peur de toi. Maintenant que je suis plus âgée, je me rends compte qu'une partie de ma peur était juste la crainte d'être un petit enfant et qu'une partie de celle-ci était très réelle. Je me rappelle certaines fois où tu m'as donné la fessée, et où ça faisait vraiment mal. J'avais encore plus peur de toi. Je sais aujourd'hui que tu essayais de me donner des leçons. Mais, à ce moment-là, j'avais l'impression que tu ne m'aimais pas.

J'aurais aimé que nous ayons quelques bonnes conversations avant ta mort, mais cela ne s'est pas produit. J'ai toujours eu le sentiment de laisser quelque chose en suspens, alors cette lettre est ma façon de régler mes comptes avec toi. Je regrette de ne pas m'être rapprochée de toi, et je regrette que tu ne te sois pas rapproché de moi. Nous aurions pu échanger de bons sentiments tous les deux. Aujourd'hui, je m'aime et je ne porterai plus en moi ces regrets. Je t'aime et je m'aime.

Au revoir

* (Pas à expédier, mais à ranger)

Chère Béatrice,

Nous sommes deux sœurs et pourtant il me semble que nous ne discutons jamais de choses vraiment importantes. Nous nous voyons presque uniquement à l'occasion des Fêtes ou des réunions familiales. Il en sera peut-être toujours ainsi. Parfois, j'aimerais que nous puissions partager davantage et devenir vraiment de bonnes amies. Parfois aussi, je me dis que la distance et l'âge rendront ce rêve à jamais impossible.

Pourtant je voulais juste que tu saches que je pense à toi, que je t'aime et que tu me manques de temps en temps. Si tu partages les mêmes sentiments, j'aimerais avoir de tes nouvelles. Sinon, j'accepterai les choses comme elles sont et je continuerai mon chemin.

Amour et tendresse

* (À expédier)

Il peut y avoir une autre catégorie de lettres, les « Lettres que j'aimerais écrire pour régler certaines choses pour moi-même ».

Quelles que soient les lettres, il importe de se rappeler que nous les écrivons pour *nous*, et non pas pour changer l'autre personne ou pour la contrôler.

BESOIN D'ESTIME

Nous parlons parfois de faible estime de soi et de haute estime de soi, comme s'il existait des jauges d'estime de soi assez précises pour mesurer l'estime de soi au millimètre près. Il est probablement plus juste de dire que l'estime de soi fluctue. Tout comme certaines personnes ont des exigences démesurées en ce qui concerne le bonheur, croyant que le bonheur devrait être un état d'extase constant et que tout ce qui est inférieur à cela constitue une immense déception, il y a des gens qui croient que la haute estime de soi devrait constamment être vécue à son niveau le plus élevé. Toute défaillance, tout moment d'hésitation et tout écart momentané — toute sensation de ne pas être à la hauteur, même pendant un tout petit moment — sont considérés comme un échec personnel, un sujet d'inquiétude et une confirmation de nos craintes les plus sombres, c'est-à-dire que nous sommes fondamentalement et irrévocablement bons à rien.

Le message véhiculé dans ce livre est que nous sommes fondamentalement BONS. Pas parfaits, mais bons. Et chaque jour nous devons nous rappeler ce que nous avons de meilleur en notre faveur. Les messages que nous nous donnons à nous-mêmes pour affirmer nos caractéristiques et nos différences sont des affirmations. Elles sont le contraire des vieilles règles qui nous empêchaient de nous valoriser. Nous avons besoin de nourrir notre respect de nous et notre confiance en nous, en nous affirmant chaque jour d'au moins dix façons différentes. La première partie de cet exercice consiste à dresser une longue liste des choses que vous aimez le plus chez vous.

Exemples:

- J'aime mes yeux.
- J'aime ma façon de me réveiller plein d'énergie.
- J'aime mon talent pour la musique.
- J'aime ma politesse envers les chauffeurs de taxi et les serveuses.
- J'aime mon sens de l'humour.
- J'aime mon corps.
- J'aime mon rire.
- J'aime le fait que j'ai des amis.
- J'aime mon habileté pour la cuisine.
- J'aime mon indépendance.

- J'aime ma façon de conduire.
- J'aime ma façon de gérer l'argent.
- J'aime mon habitude de faire mes achats de Noël en septembre.

Faites une liste de toutes les choses que vous aimez, puis recopiez-les sur des fiches. Mettez dix affirmations par fiche. Collez chaque semaine une fiche sur le miroir de la salle de bains et lisez les affirmations tous les matins et tous les soirs. Changez la fiche une fois par semaine. Remplissez de nouvelles fiches à mesure que vous découvrez de nouvelles choses que vous aimez en vous.

Le cheminement

Voilà! Je le mérite. Je m'engage à passer une année à faire très attention à la façon dont je me traite. Chaque jour, je vais écrire quelques mots sur la façon dont je me sens. Je vais faire de mon mieux pour trouver tous les jours quelque chose que j'aime à mon sujet. À la fin de l'année, je vais revenir en arrière et non seulement vais-je découvrir que je suis une personne spéciale, valable et méritante, mais je vais pouvoir le sentir.

Quand mes sentiments me dépriment, j'éprouve des sentiments de quatrième classe à faible énergie — qu'on appelle aussi la faible estime de soi.

N'oubliez pas ces indices de faible estime de soi:

1. Les troubles apparentés à l'alimentation (obésité, anorexie, *etc.*).

2. Les problèmes dans les relations (intimité, engagement, aventures).

3. Les problèmes physiques (problèmes de santé chroniques, impuissance, impossibilité d'atteindre l'orgasme).

4. L'abus de drogue ou d'alcool.

5. L'acharnement au travail et l'activité frénétique.

6. Le tabagisme.

7. L'excès de dépenses (des cartes de crédit aux jeux de hasard).

8. La dépendance envers d'autres personnes (de la famille aux gourous).

Nous devons finalement cesser de prétendre qu'il existe une façon magique et facile d'augmenter l'estime de soi. La métamorphose instantanée du crapaud en prince charmant, ou de la petite mendiante en Cendrillon, ne se produit que dans les contes de fées.

Bien que j'aie insisté, dans le présent ouvrage, sur l'importance de résoudre les blessures affectives du passé, il y a des gestes que nous pouvons poser dans le présent pour augmenter nos possibilités de renforcer notre sentiment d'estime personnelle.

IL FAUT ENTREPRENDRE TROIS DÉMARCHES MAJEURES
POUR AUGMENTER LA VALORISATION DE SOI...

1. Éliminer les substances toxiques ou le comportement néfaste;

2. Examiner son passé et faire de nouveaux choix
   concernant les messages et les sentiments anciens;

3. Adopter de nouvelles attitudes et de nouveaux sentiments qui favorisent l'épanouissement de nouveaux bourgeons de valorisation de soi.

L'estime de soi est un choix,
non un droit acquis à la naissance.

AIDE-MÉMOIRE
DE L'ESTIME DE SOI

Jour 1
Jour 2
Jour 3
Jour 4
Jour 5
Jour 6
Jour 7

(Faites 51 copies de cette page et continuez pendant 365 jours.)

Références

CHAPITRE 1
L'enfant stressé. David Elkind, Montréal, Éd. de l'Homme, 1983 (traduction de *The Hurried Child*).

CHAPITRE 2
Choicemaking. Sharon Wegscheider-Cruse, Health Communications, 1985.
Another Chance: Hope and Health For the Alcoholic Family. Sharon Wegscheider-Cruse, Science and Behavior Books, Palo Alto, 1981.

CHAPITRE 3
La colère et vous. Gayle Rosellini et Mark Worden, Montréal, Éditions Sciences et Culture, 1999 (traduction de *Of Course You're Angry*).
Les derniers instants de la vie. Elisabeth Kübler-Ross, Genève, Labor et Fides, 1975 (traduction de *On Death and Dying*).

CHAPITRE 4
The Romance: A Story of Chemical Dependency. Joseph R. Cruse, M.D., Nurturing Networks.
Another Chance: Hope and Health for the Alcoholic Family. Sharon Wegscheider-Cruse, Science and Behavior Books, Palo Alto, 1981.
Revue *Self Magazine*, février 1986, « Calm-Down Foods ». Tom Gallagher. Cet article s'inspire de *Carbohydrate Craver's Diet,* de Judith J. Wurtman, chercheuse scientifique au Massachusetts Institute of Technology.

CHAPITRE 7
High Monogamy. George Leonard.

CHAPITRE 8
Self-Renewal. John W. Gardner, Harper & Row, 1964.
Free to Be Faithful. Anthony Padajano.

VAINCRE LA CODÉPENDANCE
Ce livre vous rend la liberté

MELODY BEATTIE

Le classique incontestable des livres de croissance personnelle. Comment cesser de voler au secours des autres en leur sacrifiant votre propre épanouissement.

Un outil indispensable pour acquérir une compréhension de la codépendance, pour changer notre comportement et pour avoir une attitude nouvelle envers soi-même et envers les autres.

14 X 21,5 CM, 312 PAGES, ISBN 2-89092-115-8

AU-DELÀ DE LA CODÉPENDANCE
Comment se refaire une vie nouvelle et riche

MELODY BEATTIE

L'auteure explore la dynamique d'un rétablissement sain et l'importance des affirmations positives pour contrer les messages négatifs, et beaucoup plus encore.

Cet ouvrage est offert à tous ceux qui ont fait quelques pas dans leur cheminement pour vaincre la codépendance.

14 X 21,5 CM, 328 PAGES, ISBN 2-89092-161-1

SAVOIR LÂCHER PRISE 2
366 nouvelles méditations quotidiennes

MELODY BEATTIE

Les relations, surtout les relations amoureuses, nécessitent notre attention, et qui peut nous guider mieux que Melody Beattie dans ces moments de questionnement?

Son style, direct comme toujours et dénué de sentimentalité, évoque les pensées et les sentiments répandus chez les femmes et les hommes en recouvrance, et indique la voie de la guérison et de l'espoir.

15 X 23 CM, 384 PAGES, ISBN 2-89092-301-0

MOMENTS HUMAINS
Comment trouver sens et amour dans votre vie de tous les jours

EDWARD M. HALLOWELL

Dans notre monde, les choses simples de la vie sont trop souvent sous-estimées. L'auteur définit ce qu'il appelle un « moment humain » – cet instant au cours duquel une personne prend conscience de ce qui compte le plus dans la vie, ce qui rend cette vie vivable. Il vous indique ensuite comment reconnaître ces moments humains, comment les savourer et les chérir. Le plus beau dans les moments humains, c'est qu'ils se produisent en tout temps.

15 X 23 CM, 320 PAGES, ISBN 2-89092-308-8

ENFANTS-ADULTES D'ALCOOLIQUES
Pour les enfants de familles dysfonctionnelles rendus à l'âge adulte

JANET GERINGER WOITITZ

Grandir au sein d'une famille dysfonctionnelle laisse un héritage qui peut nous suivre jusque dans notre vie adulte, apportant des conséquences sur notre santé, notre travail et notre vie amoureuse. Plutôt que de laisser notre enfance malsaine contrôler nos actions et nos réactions, l'auteure nous montre comment reconnaître, changer et prévenir l'influence nuisible que les fantômes de notre passé peuvent avoir sur le présent et le futur.

14 X 21,5 CM, 224 PAGES, ISBN 2-89092-296-0

L'ENFANT EN SOI
Découvrir et rétablir notre Enfant intérieur

CHARLES L. WHITFIELD, M.D.

L'Enfant en soi correspond à cette partie de nous-même qui est vivante, énergique, créative et comblée. C'est notre vrai Moi, celui que nous sommes vraiment.

L'auteur y décrit l'aventure de la découverte et de l'apaisement de nos peurs, de notre confusion et de notre malheur.

14 X 21,5 CM, 224 PAGES, ISBN 2-89092-298-7

DOUZE ÉTAPES
VERS LE BONHEUR
Les Douze Étapes révisées et enrichies

JOE KLAAS

L'auteur décortique le langage de chaque Étape, nous expliquant les résistances que nous pouvons opposer et les erreurs que nous pouvons commettre.

Un livre pratique pour comprendre et progresser dans les programmes en Douze Étapes pour les alcooliques, les codépendants, les outremangeurs, etc. Un livre pour tous ceux d'entre nous qui, simplement, aspirent à suivre un chemin plus sain dans un monde de plus en plus chaotique.

14 X 21,5 CM, 176 PAGES, ISBN 2-89092-166-2

TIRER PROFIT DE
SON PASSÉ FAMILIAL
Croissance personnelle pour l'adulte qui a vécu dans une famille alcoolique ou dysfonctionnelle

EARNIE LARSEN

Cet ouvrage met bien en évidence la dynamique des familles dysfonctionnelles et l'impact d'y avoir grandi. Il pourrait vous être utile si vous en avez assez de souffrir. Il s'agit d'un outil de travail concret et puissant dans une démarche visant à faire le ménage des comportements et attitudes néfastes dans nos vies.

15 X 23 CM, 160 PAGES, ISBN 2-89092-219-7

L'INSATISFACTION CHRONIQUE
Qu'est-ce qui m'empêche de me sentir bien ?

LAURIE ASHNER ET MITCH MEYERSON

L'insatisfaction chronique a peu de rapport avec ce que l'on est ou n'est pas, ni avec ce que l'on a ou n'a pas. Elle a des racines plus profondes et ce sont elles qu'il faut reconnaître et déterrer afin de pouvoir s'en débarrasser. C'est ce travail que les auteurs veulent vous proposer ici.

15 X 23 CM, 304 PAGES, ISBN 2-89092-261-8

LA FORCE DU FOCUS
Comment atteindre vos objectifs personnels avec une absolue certitude

JACK CANFIELD, MARK VICTOR HANSEN ET LES HEWITT

Les gens qui focalisent leur attention sur ce qu'ils veulent prospèrent. Ceux qui ne le font pas stagnent. Dans ce livre, vous découvrirez les stratégies de focus utilisées par les personnes qui ont le mieux réussi.

Ce trésor de sagesse vous permettra d'avoir plus de temps libres, d'enrichir vos relations et d'améliorer votre compte en banque.

15 X 23 CM, 360 PAGES, ISBN 2-89092-295-2

MEMBRE DU GROUPE SCABRINI

Québec, Canada
2007